Ausstellung

# Ernst Ludwig Kirchner

Gemälde   Aquarelle   Zeichnungen   Graphik   Plastik

## Galerie
## Roman Norbert Ketterer
## CH 6911 Campione d'Italia bei Lugano

Sämtliche Werke sind verkäuflich

Preise auf Anfrage.

All works of art are for sale

Prices on request.

ROMAN NORBERT KETTERER

CH 6911 Campione d'Italia bei Lugano

(Lago di Lugano – Luganersee – Schweiz)


Via Marco da Campione 16 (Galerie)

Piazzale Indipendenza (Privat)


Telephone:

Lugano: 091/68 84 93 (Büro)

Lugano: 091/68 76 83 (privat)


Direktwahl von Deutschland:

0041/91/68 84 93 (Büro)

0041/91/68 76 83 (privat)


Telegramm & Cable:

KETTERERART – LUGANO (Schweiz)

Nr. 1   AKTGRUPPE I

Gemälde 1907/8. Gordon Nr. 440 av. Öl auf Leinwand.
Rückseite: Badende Frau – linkes Seitenstück des
Triptychons »Badende Frauen« 1915–25, Gordon 440.
Größe 196 x 66 cm. – Nachlaß des Künstlers.

Literatur: KA, I, 31 »1905«.

Abbildung: Gordon, E. L. Kirchner, München 1968, Seite 428 (dort irrtümlich mit »440 cv« bezeichnet). Abbildung des Triptychons »Badende Frauen« Seite 339.

Ausstellungen: Wanderausstellung E. L. Kirchner, Berlin, München, Köln und Zürich, anläßlich des 100. Geburtstages, 1979/80, Katalog Nr. 13.

Nr. 1

3

Nr. 2  GÄRTNEREI IN DRESDEN

Gemälde 1910. Gordon Nr. 132. Öl auf Leinwand. Größe
65 x 96 cm. Rückseitig Gemälde »Zwei weiße Damen
im Walde« um 1922/23. Rechts oben geritztes Monogramm »K«. – Nachlaß des Künstlers.

Abbildung: Gordon, E. L. Kirchner, München 1968,
Seite 293.

Nr. 3   ZWEI ROSA AKTE AM SEE –
MORITZBURGER AKTE

Gemälde 1909–20. Gordon Nr. 89. Öl auf Leinwand.
Größe 90 x 120 cm. Rückseitig signiert, auf dem Keilrahmen betitelt »Moritzburger Akte«.

Abbildung: Gordon, E. L. Kirchner, München 1968,
Seite 286.

Nr. 4

Nr. 4   AKT MIT ZWEI FIGUREN IM SPIEGEL
(ERNA, GERDA UND GEWECKE IM
SPIEGELBILD)

Gemälde 1912. Gordon Nr. 226. Öl auf Leinwand. Größe 120 x 100 cm. Vergleiche dazu das Gemälde »Spie-
gelakt«, ebenfalls 1912, Fotoarchiv Marburg Nr.
620920. – Nachlaß des Künstlers.

Literatur: KA, I, 243; KA, II, 12.

Abbildung: Gordon, E.L. Kirchner, München 1968,
Seite 306.

## Nr. 5 BADENDE IN MORITZBURG

Gemälde 1909–26. Gordon Nr. 93. Öl auf Leinwand. Größe 150 x 200 cm. Rechts unten signiert und datiert »08«. Rückseitig signiert und datiert »08«. Das Gemälde befindet sich im Originalrahmen von E. L. Kirchner.

Literatur: KA, I, 112 (Abb. 93).

Abbildung: Gordon, E. L. Kirchner, München 1968, Seite 287.

Ausstellungen: Berlin 1928. – Bern 1933, Nr. 14.

Nr. 6

10

Nr. 6  FRAUENPORTRÄT MIT DUNKLEM SCHLEIER
(ERNA KIRCHNER MIT DUNKLEM SCHLEIER)

Gemälde 1912. Gordon Nr. 276. Öl auf Leinwand. Größe
57 x 48 cm. Links oben eingeritztes »K«. Rückseitig:
Kopf eines jungen Mannes, 1912. Vergleiche dazu
Holzschnitt 1915, Dube Nr. 253, abgebildet in diesem
Katalog Seite 123, Kat. Nr. 149. – Nachlaß des Künst-
lers.

Abbildung: Gordon, E.L. Kirchner, München 1968,
Seite 313.

Ausstellung: Arbeiten von E.L. Kirchner, Kunstsalon
Schames, Frankfurt 1916, Kat. Nr. 9.

## Nr. 7  DREI MODELLE

Gemälde 1912. Gordon Nr. 286. Öl auf Leinwand. Größe  80 x 70 cm.  Rückseitig  Gemälde  »Schlangen-
mensch und Clown«, ca. 1923. Auf dem Keilrahmen alter Vermerk. – Nachlaß des Künstlers.

Abbildung: Gordon, E. L. Kirchner, München 1968,
Seite 314.

Nr. 7

Nr. 8   LIEGENDES MÄDCHEN AM STRANDE

Gemälde 1912. Gordon Nr. 245. Öl auf Leinwand. Größe 42 x 55 cm. Unten links der Mitte signiert. Rückseitig betitelt und signiert.

Abbildung: Gordon, E.L. Kirchner, München 1968,
Seite 309.

Nr. 9   MORGENKAFFEE – SELBSTBILDNIS
E. L. KIRCHNERS IN ROTEM MORGENROCK,
RECHTS NEBEN IHM WOHL DR. LUDWIG
BINSWANGER

Gemälde 1917/18. Gordon Nr. 487. Öl auf Karton. Größe
50 x 70 cm. Unten Mitte eingeritzt »ELK«. Bei Gordon
irrtümlich mit dem Datum »1920« verzeichnet. Rückseitig Basler Nachlaßstempel mit der falschen Bezeich-
nung Dre/Bi 3 (Dresden). Das Gemälde dürfte noch im
Sanatorium Bellevue in Kreuzlingen entstanden sein.
Zu Dr. Binswanger vgl. auch die Bildnisholzschnitte
Dube Nr. 316, 319 und 320. – Nachlaß des Künstlers.

Abbildung: Gordon, E. L. Kirchner, München 1968,
Seite 345.

Nr. 10

Nr. 10    DER MANN

Gemälde 1915–25. Gordon Nr. 439. Öl auf Leinwand. Größe 150 x 91 cm. Unten links signiert und datiert »15«. Rückseitig signiert »E.L.K.« und datiert »15«. Das Gemälde befindet sich im Originalrahmen von E. L. Kirchner.

Literatur: KA, II, 73: »1915«. Erste Erwähnung des Bildes in einem Brief an Dr. Carl Hagemann vom Oktober 1916.

Abbildung: Gordon, E. L. Kirchner, München 1968, Seite 338.

Ausstellung: Bern 1933, Nr. 26.

## Nr. 11   VIER AKTE UNTER BÄUMEN

Gemälde 1913. Gordon Nr. 355. Öl auf Leinwand. Größe 120 x 90 cm. Unten links geritztes Monogramm »K«. Rückseitig mit Bleistift signiert.

Abbildungen: Grohmann, Das Werk E. L. Kirchners, München 1926, Tafel 34. – Gordon, E. L. Kirchner, München 1968, Seite 325.

Ausstellung: E. L. Kirchner, Curt Valentin Gallery, New York, um 1953.

Nr. 11

Nr. 12

Nr. 12   ALPKÜCHE (AUF DER STAFELALP)

Gemälde 1918. Gordon Nr. 518. Öl auf Leinwand. Größe 120 x 120 cm. Rechts unten signiert. Rückseitig mit Blaustift vom Künstler betitelt.

Abbildung: Gordon, E. L. Kirchner, München 1968, Seite 349.

Ausstellungen: Schweizer Arbeiten von E. L. Kirchner, Kunstsalon Ludwig Schames, Frankfurt 1922, Kat. Nr. 7 (dort 1917 datiert). – E. L. Kirchner, Berlin 1926, Nr. 6. – Wanderausstellung E. L. Kirchner, Berlin, München, Köln und Zürich, anläßlich des 100. Geburtstages, 1979/80, Katalog Nr. 281.

Nr. 13   MANDOLINISTIN (NINA HARD)

Gemälde 1920. Gordon Nr. 630. Öl auf Leinwand. Größe 92 x 122 cm. Im Index des Fotoverzeichnisses von
E. L. Kirchner handschriftlich ebenfalls als »Mandolinistin« vermerkt. – Nachlaß des Künstlers.

Abbildung: Gordon, E. L. Kirchner, München 1968,
Seite 365.

Nr. 14   LANDSCHAFT IN GRÜN UND ORANGE

Gemälde 1919/20. Gordon Nr. 594. Öl auf Leinwand.
Größe 91 x 101 cm. Oben rechts eingeritztes Monogramm »K« von E. L. Kirchner (bei Gordon irrtümlich als
unten rechts vermerkt). Vergleiche zu diesem Gemälde auch die Lithographie »Baumgrenze«, Dube
Nr. 404 von 1920 (seitenverkehrt). – Nachlaß des
Künstlers.

Abbildung: Gordon, E. L. Kirchner, München 1968,
Seite 360.

Nr. 15 BLAUE BLUMEN IN VASE

Gemälde 1919/20. Gordon Nr. 588. Öl auf Karton. Größe 79 x 50 cm. – Nachlaß des Künstlers.

Abbildung: Gordon, E. L. Kirchner, München 1968,
Seite 360.

Nr. 16   BUNDESFEUER

Gemälde 1920/21. Gordon Nr. 645. Öl auf Leinwand.
Größe 120 x 167 cm. Rückseitig signiert und datiert
»20«. Das Gemälde befindet sich im Originalrahmen
von E. L. Kirchner.

Literatur: KA, III, 151, »1919« (Abb. 645). – Kunstblatt VII,
3, 1923 (Abb. 645), Seite 87 »1920«.

Abbildung: Gordon, E. L. Kirchner, München 1968,
Seite 368.

Ausstellungen: Winterthur 1924, Nr. 23. – Bern 1933,
Nr. 39. – Sankt Gallen 1950, Nr. 53. – Zürich 1952,
Nr. 68. – Chur 1953, Nr. 22.

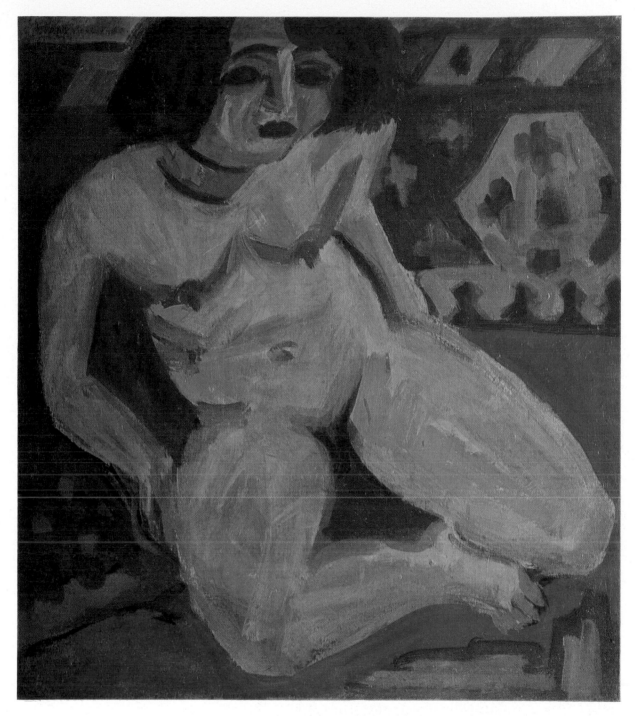

Nr. 17  SITZENDE NACKTE FRAU VOR
ROTGEMUSTERTEM HINTERGRUND (DODO)

Gemälde 1908/9. Gordon Nr. 609. Öl auf Leinwand.
Größe 72 x 62 cm. Bei Gordon irrtümlich 1919/20.
Rückseitig übermalter Entwurf für eine Landschaft. –
Nachlaß des Künstlers.

Abbildung: Gordon, E. L. Kirchner, München 1968,
Seite 362.

Nr. 18

Nr. 18   MÄNNERBILDNIS LEON SCHAMES

Gemälde 1922–24. Gordon Nr. 729. Öl auf Leinwand.
Größe 148 x 90 cm. Rückseitig signiert.

Literatur: KA (Abb. 729). – Besuch von Leon Schames
kurz zuvor erwähnt in einem Brief an Henry van de
Velde vom 5. 11. 1922.

Abbildung: Gordon, E.L. Kirchner, München 1968,
Seite 380.

Nr. 19   DIE BERGE (WEISSFLUH UND SCHAFGRIND BEI DAVOS)

Gemälde 1921. Gordon Nr. 676. Öl auf Leinwand. Größe 124 x 168 cm. Rechts unten signiert. Rückseitig betitelt, datiert und signiert. Wohl bedeutendste und eindrucksvollste Landschaft der frühen Davoser Schaffensjahre.

Abbildungen: Grohmann, E. L. Kirchner, München 1926, Tafel 69. – Grohmann, E. L. Kirchner, Stuttgart 1958, Farbabbildung Seite 67. – Gordon, E. L. Kirchner, München 1968, Seite 372.

Ausstellungen: E. L. Kirchner, Kunsthaus Zürich 1952, Kat. Nr. 51 (dort irrig als »Amselfluh, 1919«). – Sammlung Dr. F. Bauer, Davos, München 1952, Kat. Nr. 21 (mit Abb. Seite 41). – »Maler der Brücke«, Staatsgalerie Stuttgart 1959 (ohne Katalog). – »Meisterwerke des Deutschen Expressionismus«, Kunsthalle Bremen, Kunstverein Hannover, Stedelijk-Museum Den Haag, Wallraf-Richartz-Museum Köln 1960, Kunsthaus Zürich 1961, mit Abb. im Katalog Seite 30, Nr. 43. – E. L. Kirchner und Rot-Blau, Kunsthalle Basel 1967, Kat. Nr. 73 mit Farbabbildung im Katalog. – Wanderausstellung E. L. Kirchner, Berlin, München, Köln und Zürich, anläßlich des 100. Geburtstages, 1979/80, Katalog Nr. 330.

Sammlung: Ehem. Dr. F. Bauer, Davos.

Nr. 20   DIE ERSCHEINUNG DER SIEBEN IM
EULENSPIEGEL

Gemälde 1923/24. Gordon Nr. 752. Öl auf Leinwand. Größe
125 x 167 cm. Vergleiche gleichnamige Radierung Dube Nr.
470, 1923, abgebildet in diesem Katalog Seite 145, Kat. Nr.
218. Das Gemälde befindet sich im Originalrahmen von E. L.
Kirchner. – Nachlaß des Künstlers.

Literatur: Grohmann 1926, Abb. 80. – Einstein 1926, Abb. Seite 386. – Federzeichnung: Grohmann 1925, Abb. 95. – Lektü-
re des »Tyll Ulenspiegel« von Charles de Coster erwähnt in einem Brief an Nele van de Velde vom 1. 2. 1923. – Vollendung
von Bildern mit diesem Motiv erwähnt in einem Brief an Nele
van de Velde vom 20. 3. 1924.

Abbildung: Gordon, E. L. Kirchner, München 1968, Seite 383.

Ausstellungen: Frankfurt 1925, Nr. 28 mit Abb. – Berlin 1925,
Nr. 117.

Nr. 21   ANTONIUS UND CLEOPATRA

Gemälde 1921–23. Gordon Nr. 678. Öl auf Leinwand.
Größe 80 x 69 cm. Oben links signiert. Das Gemälde
befindet sich im Originalrahmen von E. L. Kirchner.

Literatur: Grohmann 1926, Abb. 81.

Abbildung: Gordon, E. L. Kirchner, München 1968,
Seite 372.

34

Nr. 22   BERGTAL MIT EINGEZÄUNTER WIESE
(BLICK AUS DER NÄHE DES KIRCHNER-HAUSES)

Gemälde 1922. Gordon Nr. 722. Öl auf Leinwand. Größe ca. 75 x 150 cm. Rechts oben mit Zimmermannsbleistift signiert: »E. L. Kirchner«.

Abbildung: Gordon, E. L. Kirchner, München 1968, Seite 379.

Nr. 23   PFERDEGESPANN MIT DREI BAUERN
(DER HOLZWAGEN)

Gemälde 1920–21. Gordon Nr. 675. Öl auf Leinwand.
Größe ca. 92 x 123 cm. Vergleiche dazu die Zeichnung
»Holzfuhre« in Grohmann, Kirchner-Zeichnungen,
Dresden 1925, Tafel 58. – Nachlaß des Künstlers.

Abbildung: Gordon, E.L. Kirchner, München 1968,
Seite 372.

Nr. 24  IM SCHNELLZUG – ALBERT MÜLLER
UND KIRCHNER

Gemälde 1925/26. Gordon Nr. 814. Öl auf Leinwand.
Größe 90 x 120 cm. Reisen mit Albert Müller nach Zürich im September 1925 und nach Dresden im Juni
1926 erwähnt in Kirchners Tagebuch Seite 101 und 183
bis 184, 19. Sept. 1925 und (Sept.) 1926. – Nachlaß des
Künstlers.

Abbildung: Gordon, E.L. Kirchner, München 1968,
Seite 392.

Nr. 25   DER BESUCH – PAAR UND ANKÖMMLING

Gemälde 1922/23. Gordon Nr. 693. Öl auf Leinwand.
Größe 120 x 120 cm. Rückseitig mit Blaustift signiert.

Literatur: KA, III, 190: »1922«.

Abbildung: Gordon, E. L. Kirchner, München 1968,
Seite 375.

Ausstellung: Frankfurt 1925, Nr. 30.

Nr. 26

Nr. 26    RINGER IN DEN BERGEN – SERTIGDÖRFLI

Gemälde 1926. Gordon Nr. 858. Öl auf Leinwand. Größe 167 x 125 cm. Rückseitig signiert. Das Gemälde befindet sich im Originalrahmen von E. L. Kirchner.

Abbildung: Gordon, E. L. Kirchner, München 1968, Seite 399.

Ausstellung: Berlin 1926, Nr. 35.

Nr. 27   SITZENDER AKT AUF DIVAN

Gemälde 1924–26. Gordon Nr. 770. Öl auf Leinwand.
Größe 65 x 51 cm. Rechts unten eingeritzt: »E.L.K.«.
Rückseitig: Moritzburger Landschaft, 1909, Fragment.
Das Gemälde befindet sich im Originalrahmen von
E. L. Kirchner. – Nachlaß des Künstlers.

Abbildung: Gordon, E.L. Kirchner, München 1968,
Seite 386, Rückseite 770v Seite 429.

Nr. 27

Nr. 28    KAUFHAUS IM REGEN

Gemälde 1926/27. Gordon Nr. 854. Öl auf Leinwand. Größe 65 x 50 cm. Rückseitig
signiert.

Literatur: KA (Abb. 854).

Abbildung: Gordon, E. L. Kirchner, München 1968, Seite 398.

Ausstellung: Turin 1964, Nr. 22.

Nr. 29   GEHENDE DAME MIT HÜNDCHEN

Gemälde 1926. Gordon Nr. 847. Öl auf Leinwand. Größe 90 x 69 cm. Links unten eingeritzt: »E. L. Kirchner«. Rückseitig auf der Leinwand betitelt, datiert »25« und signiert.

Abbildung: Gordon, E. L. Kirchner, München 1968, Seite 397.

Ausstellung: E. L. Kirchner, Kunsthalle Bern 1933, Kat. Nr. 55.

Nr. 30   SCHLITTENFAHRT

Gemälde 1927/28. Gordon Nr. 874. Öl auf Leinwand. Größe 70 x 80 cm. Unten links in Tinte signiert, unten rechts eingeritzt »E.L.K.«, oben links eingeritzt »K«. Rückseitig signiert und datiert »27«.

Literatur: KA (Abb. 874). – Aquarell: Graf Rüdiger von der Goltz, Düsseldorf.

Abbildung: Gordon, E. L. Kirchner, München 1968, Seite 401.

Ausstellung: E. L. Kirchner, Kunsthalle Bern 1933, Kat. Nr. 76.

Nr. 31  MOTORRADRENNEN

Gemälde 1927. Gordon Nr. 875. Öl auf Leinwand. Größe 61 x 71 cm. Rückseitig signiert und datiert »27«. Vergleiche Holzschnitt »Radrennen« 1927, Dube Nr. 573. Das Gemälde befindet sich im Originalrahmen von E. L. Kirchner.

Abbildung: Gordon, E. L. Kirchner, München 1968, Seite 401.

Nr. 32

Nr. 32   NACKTE LIEGENDE FRAU

Gemälde 1931. Gordon Nr. 959. Öl auf Leinwand. Größe
150 x 90 cm. Rechts unten signiert und datiert »31«.
Rückseitig signiert und betitelt »Liegende nackte Frau
›31‹ Basel«. Das Gemälde befindet sich im Originalrahmen von E. L. Kirchner.

Abbildung: Gordon, E. L. Kirchner, München 1968,
Seite 413.

Ausstellung: Bern 1933, Nr. 98.

Nr. 33    SPRINGENDE TÄNZERIN, G. PALUCCA

Gemälde 1931/32. Gordon Nr. 960. Öl auf Leinwand. Größe 150 x 120,5 cm. Links unten signiert. Rückseitig signiert und datiert »31«. Vergleiche dazu Holzschnitt 1930, Dube Nr. 624, abgebildet in diesem Katalog Seite 131, Kat. Nr. 177.

Literatur: Verwandtes Ölbild Gordon Nr. 939. – Vollendung des Bildes dokumentiert in einem Brief an Dr. Carl Hagemann vom 15. 6. 1932.

Abbildung: Gordon, E.L. Kirchner, München 1968, Seite 413.

Ausstellung: Bern 1933, Nr. 97 »1931«.

Nr. 33

Nr. 34   STILLEBEN MIT KATZE UND PFEIFE

Gemälde 1930–32. Gordon Nr. 954. Öl auf Leinwand.
Größe 70 x 50 cm. Unten rechts geritzt »ELK«. Rückseitig alter Vermerk auf dem Keilrahmen: »Stilleben mit Katze, ca. 1930« von fremder Hand. – Nachlaß des Künstlers.

Abbildung: Gordon, E.L. Kirchner, München 1968, Seite 412. – Farbige Kreidezeichnung: »Stilleben mit Fruchtschale und Katze« 1931, in diesem Katalog farbig abgebildet Seite 104 Kat. Nr. 94.

Nr. 35    STILLEBEN MIT PLASTIK VOR
DEM FENSTER

Gemälde 1933–35. Gordon Nr. 992. Öl auf Leinwand.
Größe 60,5 x 71 cm. Rechts unten signiert. Rückseitig
signiert.

Abbildung: Gordon, E. L. Kirchner, München 1968,
Seite 418. – In diesem Katalog sind farbig und
schwarzweiß abgebildet: Holzplastik »Liegende« 1932,
Seiten 68 und 69, Kat. Nr. 43. – Farbstiftzeichnung
»Blumenstilleben mit Plastik« 1933, Seite 97, Kat. Nr.
80. – Schwarze Kreidezeichnung »Stilleben mit geschnitzter Figur« 1933, Seite 115, Kat. Nr. 126.

Ausstellungen: Basel 1937, Nr. 240. – New York 1937,
Nr. 5. – Springfield 1939, Nr. 32.

Nr. 36

Nr. 36   AKROBATENPAAR, PLASTIK

Gemälde 1932/33. Gordon Nr. 966. Öl auf Leinwand.
Größe 85,5 x 72 cm. Rückseitig signiert und datiert
»32«.

Literatur: KA, III, 328. – KA, IV, 47.

Abbildung: Gordon, E. L. Kirchner, München 1968,
Seite 414. – Die Plastik »Zwei Akrobatinnen« aus Arven-
holz, 1932, ist in diesem Katalog farbig abgebildet Sei-
te 72 und 73, Kat. Nr. 45. – »Studien, Akrobatenpaar«,
Bleistiftzeichnung 1932, in diesem Katalog abgebildet
Seite 115, Kat. Nr. 125.

Nr. 37   FARBENTANZ II – ENTWURF FÜR
FESTSAAL ESSEN

Gemälde 1932–34. Gordon Nr. 968. Öl auf Leinwand.
Größe 195 x 148,5 cm. Rückseitig signiert. Vergleiche
dazu das Aquarell 1932, farbig abgebildet in diesem
Katalog Seite 101, Kat. Nr. 88. Das Gemälde befindet
sich im Originalrahmen von E. L. Kirchner.

Literatur: KA, IV, 27; Werk XLII, 6, 1955, Seite 163. –
Kunstwerk IX, 4, 1955–56, Seite 9–19. – Farbholzschnitt Dube Nr. 636. – Federskizze: Brief an Dr. Carl
Hagemann vom 7.12.1932. – Verwandtes Ölbild: Gordon Nr. 948. – Arbeit an dem Bild erwähnt in Briefen an
Dr. Frédéric Bauer vom 7.10.1932 und an Dr. Carl Hagemann vom 7.12.1932 und 24.6.1934.

Abbildung: Gordon, E. L. Kirchner, München 1968,
Seite 414.

Ausstellungen: Basel 1937, Nr. 252. – Stuttgart 1956,
Nr. 34 mit Abb. – Düsseldorf 1960, Nr. 103 mit Abb. –
Wanderausstellung E. L. Kirchner, Berlin, München,
Köln und Zürich, anläßlich des 100. Geburtstages,
1979/80, Kat. Nr. 396.

Nr. 37

Nr. 38

## Nr. 38    BOGENSCHÜTZEN

Gemälde 1935–37. Gordon Nr. 994. Öl auf Leinwand. Größe 195 x 150 cm. Rückseitig signiert. Das Gemälde befindet sich im Originalrahmen von E. L. Kirchner.

Literatur: Kroniek II, 10, 1937, Seite 305. – Aquarell: Wilhelm R. Valentiner-Nachlaß, Raleigh. – Federskizze: Brief an Dr. Carl Hagemann vom 28.11.1935. – Arbeit an dem Bild erwähnt in einem Brief an Dr. Fédéric Bauer vom 19.11.1935. – Beabsichtigte unwesentliche Änderungen erwähnt in einem Brief an Dr. Carl Hagemann vom 2.11.1937. – Vergleiche das Aquarell: »Bogenschützen« 1935, Farbabbildung in diesem Katalog Seite 96, Kat. Nr. 79.

Abbildung: Gordon, E. L. Kirchner, München 1968, Seite 418.

Ausstellungen: Detroit 1937. – Basel 1937, Nr. 234. – Wanderausstellung E. L. Kirchner, Berlin, München, Köln und Zürich, anläßlich des 100. Geburtstages, 1979/80, Kat. Nr. 405.

Nr. 39  SONNENTÄNZERIN

Gemälde 1933–35. Gordon Nr. 972. Öl auf Leinwand.
Größe 179 x 135 cm. – Nachlaß des Künstlers.

Literatur: KA, IV, 34. – Aquarell: Graf Rüdiger von der
Goltz, Düsseldorf.

Abbildung: Gordon, E. L. Kirchner, München 1968,
Seite 415.

Nr. 39

Nr. 40

## Nr. 40  BERGATELIER

Gemälde 1937. Gordon Nr. 1002. Öl auf Leinwand. Größe 90 x 120 cm. Oben rechts eingeritzt »K«, links oben nochmals eingeritzt »K«. Rückseitig betitelt, datiert »36« und signiert. Verwandtes Ölbild: Gordon Nr. 1003. Arbeit an dem Bild erwähnt in einem Brief an Dr. Frédéric Bauer vom 13. 2. 1937.

Abbildungen: C. Zoege von Manteuffel, Der Kirchner-Nachlaß in Basel in »Das Kunstwerk«, V, Heft 3, Baden-Baden 1951, Abb. Seite 21. – W. Haftmann, Malerei im 20. Jahrhundert, München 1962, Band II, Abb. Seite 319. – Gordon, E.L. Kirchner, München 1968, Seite 420.

Ausstellungen: November-Ausstellung und E.L. Kirchner, Basel 1937, Nr. 232. – E.L. Kirchner, Kunstgesellschaft Davos, 1938, Nr. 119. – E.L. Kirchner, Werke aus dem Nachlaß: Aus Anlaß des 70. Geburtstages. Kunstverein Hamburg, Kestner-Gesellschaft Hannover, Kunsthalle Bremen, Museum Wuppertal-Elberfeld, 1950/51, Kat. Nr. 39 mit Abb. Seite 23. – E.L. Kirchner, Kunsthaus Zürich 1952, Kat. Nr. 73 (dort mit richtigem Datum 1936). – E.L. Kirchner, Kunsthaus Chur 1953, Kat. Nr. 24 (dort mit richtigem Datum 1936). – Gordon vermerkt in seinem Werkkatalog: Rückseite: signiert »35«, statt dem einwandfrei lesbaren »36« und hat es in seinem Werkkatalog auf »37« umdatiert. Im übrigen ist das Bild, entgegen den Angaben von Gordon, nur auf der Rückseite betitelt, datiert und signiert. Vorne befinden sich lediglich die zwei genannten Ritzmonogramme »K« links und rechts oben.

## Nr. 41 STADTBILD; BARFÜSSERPLATZ IN BASEL

Gemälde 1936/37. Gordon Nr. 999. Öl auf Leinwand. Größe 120 x 90 cm. Links oben eingeritztes »K«. Rückseitig signiert und datiert »36«. – Studie zu diesem Gemälde in Farbkreiden und Feder 1936, farbig abgebildet in diesem Katalog Seite 103, Kat. Nr. 92. – Vergleiche ebenso lavierte Federzeichnung 1936, abgebildet in diesem Katalog Seite 118, Kat. Nr. 134. – Besuch in Basel belegt durch Postkarten an Erna Kirchner vom 3.12.1936. Arbeit an dem Bild erwähnt in einem Brief an Ulrich Kirchner vom 19.1.1937.

Literatur: KA, III, 337; Chronik II, 10, 1937, Abb. Seite 307.

Ausstellung: Basel 1937, Nr. 237.

Nr. 41

Nr. 42 ERNA KIRCHNER

Plastik aus Arvenholz 1935. Höhe 32 cm, Breite 17 cm,
Tiefe 20 cm. Auf der rechten Schulter Astansatz. Am
linken Ohr Holzoberschichten zweimal etwas angeris-
sen. Auf der Unterseite des Sockels unleserlicher
Stempel. – Nachlaß des Künstlers.

Nr. 42

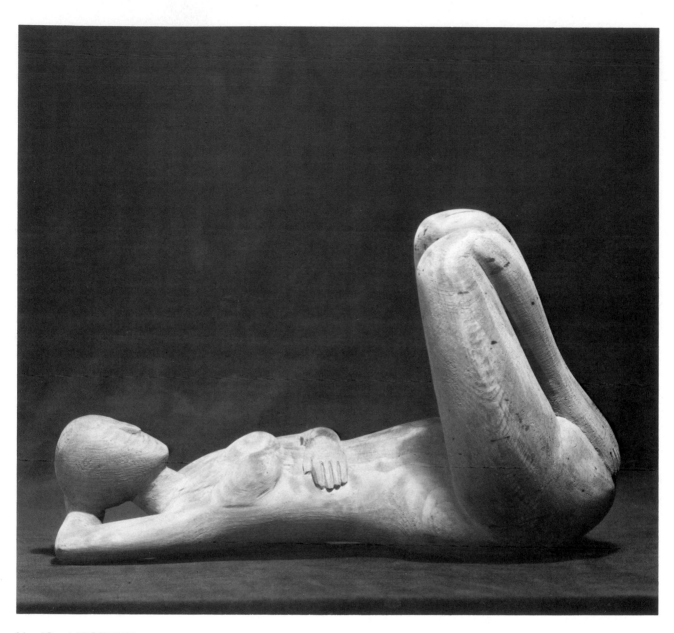

Nr. 43    LIEGENDE

Plastik aus Arvenholz 1932. Höhe 22,5 cm, Breite
14 cm, Länge 36 cm. Auf dem Rücken der Figur vom
Künstler eingeschnitten: »ELK«. Vergleiche dazu das
Gemälde Gordon Nr. 992 »Stilleben mit Plastik vor dem
Fenster« 1933–35, farbig abgebildet in diesem Katalog
Seite 53, Kat. Nr. 35. – Vergleiche ebenso die Zeich-
nung: »Blumenstilleben mit Plastik« 1933, farbig abge-
bildet in diesem Katalog Seite 97, Kat. Nr. 80, und die
schwarze Kreidezeichnung »Stilleben mit geschnitzter
Figur« 1933, abgebildet in diesem Katalog Seite 115,
Kat. Nr. 126. – Nachlaß des Künstlers.

Nr. 43

Nr. 44   SELBSTBILDNIS UND ERNA

Plastik aus Arvenholz 1928. Höhe 27 cm, Breite 17 cm,
Tiefe 10 cm. Diese Plastik ist rechts unten im Gemälde
Gordon Nr. 956: »Blumendolden mit Zeitung und
Skulpturen« 1930–32 erkennbar. – Nachlaß des Künst-
lers.

Nr. 44

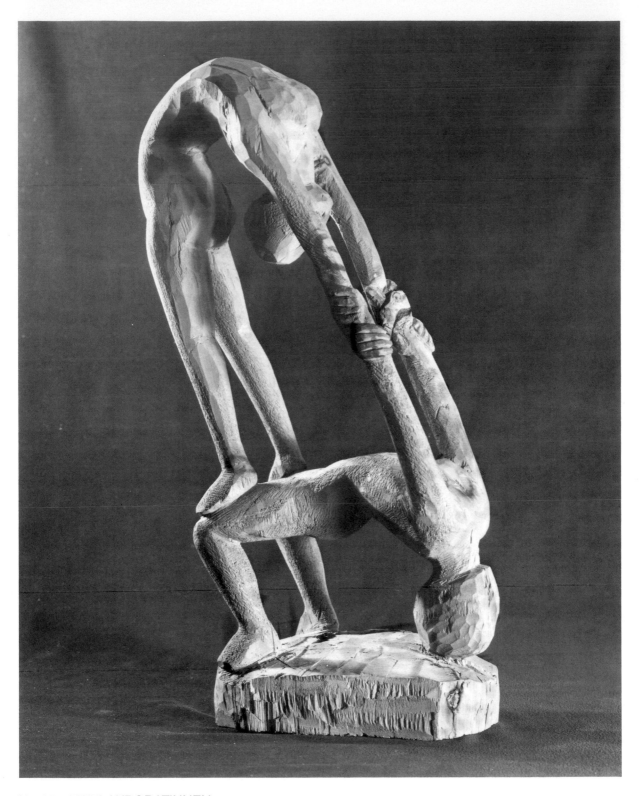

Nr. 45    ZWEI AKROBATINNEN

Plastik aus Arvenholz 1932. Höhe 56 cm, Breite 30 cm, Tiefe
18 cm. Rückseitig am Sockel und in der oberen Figur zwei
Holzsprünge, auf der Außenseite je ca. 2 mm breit, unten ca.
5 cm und oben ca. 2,5 cm tief. Vergleiche Gemälde Gordon
Nr. 966: »Akrobatenpaar, Plastik« 1932/33, farbig abgebildet
in diesem Katalog Seite 54, Kat. Nr. 36. – Vergleiche ebenso
»Studien, Akrobatenpaar« 1932, abgebildet in diesem Katalog Seite 115, Kat. Nr. 125. – Nachlaß des Künstlers.

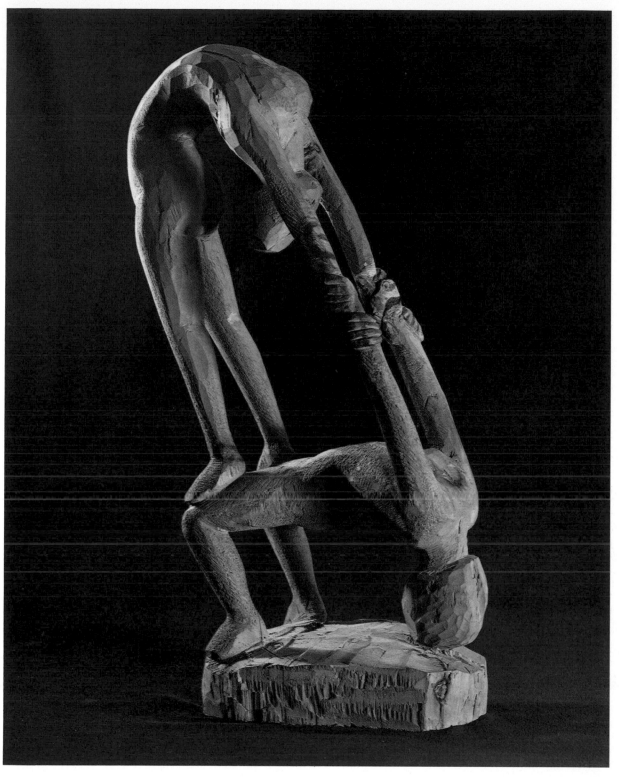

Nr. 45

Nr. 46   DODO UND MÄNNLICHER
AKT IM ATELIER

Rote Kreidezeichnung 1909. Bütten.
Größe 33 x 24,8 cm. Vergleiche Dube
Lithos Nr. 94 ff., sowie Radierungen
Dube Nr. 74 ff., alle 1909. – Nachlaß
des Künstlers.

Nr. 47   STEHENDE FRAU BEI DER
TOILETTE

Rotbraune Kreidezeichnung 1914. Hell-
rötliches Papier. Größe 46,5 x 42 cm.
Vergleiche Dube Litho Nr. 263 und
ähnliche, alle 1914. – Nachlaß des
Künstlers.

## Nr. 48   DODO LIEGEND MIT KATZE

Aquarell und Reiskohle 1908. Satiniertes Papier.
Größe 59,8 x 48,6 cm. Notizen rechts unten von
fremder Hand. Vergleiche Dube Lithos Nr. 23 ff.
– Nachlaß des Künstlers.

## Nr. 49   SITZENDE DODO

Farbige Kreidezeichnung 1909. Kartonartiges,
graues Bütten. Größe 35,5 x 22,3 cm. Vergleiche Dube Litho Nr. 85, 1909. Rückseite: Radierung Dube Nr. 309/II »Bildnis Maler Huber
1920«. Vom Künstler betitelt und datiert: »Maler
Huber, 2. Zustand 1920«. – Nachlaß des Künstlers.

## Nr. 50  LIEGENDE DODO IN DER BADEWANNE

Aquarell und Tusche 1909. Gelbliches, leicht satiniertes Papier. Größe 49 x 59,5 cm. Vergleiche Dube Lithographie Nr. 83: »Großer liegender Akt«, 1909. – Nachlaß des Künstlers.

## Nr. 51  WINDMÜHLE AUF FEHMARN

Farbige Kreiden und Bleistift 1912. Leicht satiniertes Papier. Größe 39 x 45,5 cm. Vergleiche Gemälde Gordon Nr. 310: »Windmühle auf Fehmarn« 1913, sowie Dube Holzschnitt Nr. 211: »Landschaft mit Windmühlen« 1912. – Nachlaß des Künstlers.

Nr. 52  LANDSCHAFT BEI DRESDEN

Farbige Kreiden 1909. Weißes, satiniertes Papier. Größe 25 x 33,5 cm. – Nachlaß des Künstlers.

Nr. 53  WANNSEELANDSCHAFT MIT DÜNNEN
BÄUMCHEN

Aquarell und Bleistift 1913. Bütten. Größe 27 x 34 cm.
Vergleiche Dube Radierung Nr. 155, 1913. – Nachlaß
des Künstlers.

Nr. 52

Nr. 53

Nr. 54   BAUMLANDSCHAFT IN BÖHMEN

Aquarell und Tusche 1911. Gelbliches, festes, satiniertes Papier. Größe 36 x 46 cm. Rechts unten in Bleistift
signiert. Rückseitig Tuscheskizze mit Bleistift ausge-
strichen. Links unten leichte Knickfalte.

Nr. 55   LANDSCHAFT BEI DRESDEN MIT
SPAZIERGÄNGERIN

Aquarell und Bleistift 1910. Lichtbraunes Papier. Größe
32 x 43,5 cm. – Nachlaß des Künstlers.

Nr. 56  BAUMGRUPPE AUF FEHMARN

Aquarell, schwarze Kreide und Bleistift 1912. Größe
38 x 45,8 cm. Rückseitig voll ausgeführte schwarze
Kreidezeichnung einer weiblichen Halbfigur. – Nachlaß des Künstlers.

Nr. 57  GEWECKE UND GOTHEIN AM
FEHMARNSTRAND

Farbige Kreidezeichnung 1913. Leichtes, satiniertes
Papier. Größe 39,3 x 46 cm. Vergleiche Gordon Nr. 329
und Nr. 330, 1930. – Nachlaß des Künstlers.

Nr. 56

Nr. 57

Nr. 58   FEHMARNALLEE

Aquarell und Bleistift 1914. Gelbliches, satiniertes Papier. Größe 56 x 38,5 cm. Rückseitig vom
Künstler betitelt: »Gartenstraße«. Insgesamt
knitterig, größere Knickfalte und mehrere kleine Einrisse. – Nachlaß des Künstlers.

Nr. 59   GEWÄCHSHAUS EINER GÄRTNEREI
IN KÖNIGSTEIN

Aquarell und Kohle 1916. Festes, gelbliches, satiniertes Papier. Größe 55,5 x 36 cm. – Nachlaß
des Künstlers.

## Nr. 60   INS MEER STEIGENDER GEWECKE

Aquarell und blaue Kreide 1913. Leicht satiniertes Papier. Größe 46 x 39,3 cm. Vergleiche Dube farbiges Litho Nr. 231: »Ins Meer steigender Mann« 1913. – Nachlaß des Künstlers.

## Nr. 61   SPAZIERGÄNGER UND PFERD IM PARK IN KÖNIGSTEIN

Farbige Kreidezeichnung und Kohle 1915. Kartonstarkes Papier. Größe 36 x 27,5 cm. Vergleiche Gordon Nr. 450: »Kastanienallee mit Mann« 1916. – Nachlaß des Künstlers.

Nr. 62  GÄRTNEREI IN KÖNIGSTEIN

Aquarell und Bleistift 1916. Festes Bütten. Größe
38 x 57 cm. Rechts 2 kleine Einrisse ca. 1,5 cm. Rückseitig Wasserfleckenränder. – Nachlaß des Künstlers.

Nr. 63  SANATORIUMSGARTEN
(KÖNIGSTEIN IM TAUNUS)

Farbige Kreidezeichnung 1915. Beiges Kupferdruck-
papier. Größe 44 x 47 cm. Unten links in Bleistift signiert. Rückseitig in Bleistift betitelt: »Sanatoriums
Garten«. Notizen links unten von fremder Hand. Vergleiche Abbildung: Grohmann, Kirchner-Zeichnungen, Dresden 1925, Tafel Nr. 62.

## Nr. 64  LANDSCHAFT MIT STEINBRUCH IM TAUNUS

Aquarell und Bleistift 1916. Gelbliches, leicht satiniertes Papier. Größe 36,5 x 54 cm. Rückseitig wohl von
fremder Hand: »Landschaft mit Steinbruch«. – Nachlaß
des Künstlers.

## Nr. 65  GÄRTNEREI IN KÖNIGSTEIN

Aquarell, farbige Kreiden und Kohle 1916. Bütten. Größe 41,5 x 50,5 cm. Rechts unten in Rotstift signiert.
Rückseitig prachtvoller, sitzender Akt im Sessel. Vom
Künstler rückseitig rechts unten mit Blaustift betitelt:
»Der Garten«, sowie mit Rotstift datiert: »1919« und mit
einem roten Vielfachkreuz und der Nummer »99« versehen.

Nr. 64

Nr. 65

Nr. 66   SERTIGTAL UND KURHAUS
CLAVADEL

Farbige Kreiden und Kohle 1936. Satiniertes
Papier. Größe 50,2 x 35,3 cm. Studie zum Ge-
mälde Gordon Nr. 998: »Sertig und Kurhaus
Clavadel 1936«. – Nachlaß des Künstlers.

Nr. 67   HERBSTLANDSCHAFT UND
KURHAUS CLAVADEL

Farbige Kreiden 1936. Satiniertes Papier. Größe
50,5 x 36,5 cm. Studie zum Gemälde Gordon
Nr. 998: »Sertig und Kurhaus Clavadel 1936«.
Rückseitig vier Studien in Bleistift von zwei
Frauenbildnissen und zwei arbeitenden
Bauern. – Nachlaß des Künstlers.

## Nr. 68   KÜHE UND HIRT AUF DER STAFELALP

Aquarell und Blaustift 1919. Lichtbraunes Papier. Größe 22 x 26,5 cm. Rückseitig voll ausgeführtes Blumenstilleben, Aquarell und Bleistift. – Nachlaß des Künstlers.

## Nr. 69   ALPHÜTTEN AUF DER LÄNGMATT

Farbige Kreiden und Kohle 1919. Gelbliches, satiniertes Papier. Größe 42,5 x 44 cm. Vergleiche Gordon Nr. 616 und Dube Holzschnitte Nr. 388 und Nr. 389. – Nachlaß des Künstlers.

Nr. 70    ZWEI WEIBLICHE AKTE

Farbstiftzeichnung 1925. Gelbes Papier. Größe
48 x 36 cm. Vergleiche Dube Holzschnitt Nr.
537: »Badende« 1925 und Dube Radierung Nr.
524: »Drei nackte Frauen« 1925. – Nachlaß des
Künstlers.

Nr. 71    SPAZIERGÄNGER IM SERTIGTAL

Farbige Kreiden 1925. Festes, satiniertes Papier. Größe 49,7 x 35 cm. – Nachlaß des Künstlers.

Nr. 72   LÄRCHENWALD IM WINTER

Fettkreide und Tusche 1919. Festes, satiniertes Papier. Größe 38 x 50 cm. Rückseitig Tannengruppen-Studie. – Nachlaß des Künstlers.

Nr. 73   BLICK AUF JUNKERBODEN UND SERTIGTAL

Aquarell und Bleistift 1919. Bräunliches Packpapier. Größe 32 x 45,5 cm. Vergleiche Gordon Nr. 616: »Junkerboden von der Stafelalp« 1919–20. – Nachlaß des
Künstlers.

Nr. 74    STRASSE MIT FAHNEN –
FESTZUG AM 1. AUGUST

Aquarell und Bleistift 1935. Fester Zeichenkar-
ton. Größe 46 x 35 cm. Vergleiche dazu das Gemälde Gordon Nr. 990: »Festzug am 1. August«
1933–35. In der unteren Partie kleine Kaffee-
flecken. – Nachlaß des Künstlers.

Nr. 75    DER FAHNENTRÄGER

Aquarell und Bleistift 1935. Gelbliches, satiniertes Papier. Größe 51,5 x 36 cm. Vergleiche Gordon Nr. 990: »Festzug am 1. August«
1933–35. – Nachlaß des Künstlers.

## Nr. 76   STUDIE ZUM WANDBILD MUSEUM FOLKWANG, ESSEN

Aquarell und blaue Federzeichnung 1929. Festes, satiniertes Papier. Größe 39 x 34 cm. Vergleiche Gordon Nr. 969 »Tanzende Mädchen in farbigen Strahlen« 1932–37. Aquarellierte Darstellung vom Künstler mit Bleistift begrenzt. – Nachlaß des Künstlers.

## Nr. 77   SKISPRINGER

Aquarell und Bleistift 1926. Größe 40 x 31 cm. Rechts unten in Bleistift signiert und datiert »24« (spätere Signatur). Vergleiche Dube Holzschnitt Nr. 569: »Der Skisprung« 1926. Vergleiche auch Gordon Nr. 867: »Skispringer« 1927.

95

Nr. 78   DER GEIGER HÄUSERMANN

Aquarell 1927. Kartonstarkes Papier. Größe
50 x 32 cm. Rechts unten in Tinte signiert. Vergleiche Gordon Nr. 870: «Der Geiger Häusermann II» 1927. Vergleiche auch Dube Radierung
Nr. 565: »Häusermann« 1927.

Nr. 79   BOGENSCHÜTZEN

Aquarell und Bleistift 1935. Gelbliches, festes,
satiniertes Papier. Größe ca. 51 x 36 cm. Vergleiche Gemälde Gordon Nr. 994: »Bogenschützen« 1935–37. Farbabbildung in diesem
Katalog Seite 58, Kat. Nr. 38. – Nachlaß des
Künstlers.

Nr. 80   BLUMENSTILLEBEN MIT PLASTIK

Farbige Kreiden und Kohle 1933. Gelbliches, satiniertes Papier. Größe 35 x 51 cm. Vergleiche Gemälde Gordon Nr. 992: »Stilleben mit Plastik vor dem Fenster« 1933–35, Seite 53, Kat. Nr. 35, sowie Holzplastik »Liegende« 1932, Seite 68 und 69, Kat. Nr. 43, beide farbig abgebildet in diesem Katalog. – Dazu Zeichnung Seite 115, Kat. Nr. 126. – Nachlaß des Künstlers.

Nr. 81   SONNENDURCHBRUCH
(SONNE ÜBER DEM VERSCHNEITEN
SERTIGTAL)

Aquarell und Farbstift 1919. Weißes, satiniertes Papier. Größe 49 x 34,5 cm. Vergleiche Gordon Nr. 558: »Wintermondlandschaft« 1919. – Nachlaß des Künstlers.

Nr. 82   BAUER AUF DER STAFELALP

Aquarell und Kohle 1919. Festes, weißes, satiniertes Papier. Größe 38 x 50 cm.
Rückseitig: »Ziege«, voll ausgeführte Tuschzeichnung. – Nachlaß des Künstlers.


Nr. 83   CAFÉ SCHNEIDER

Aquarell und Bleistift 1936. Gelbliches, festes, satiniertes Papier. Größe
36 x 51 cm. Rechts oben in Bleistift signiert. Vergleiche Dube Holzschnitt Nr. 672,
1936. Vergleiche Gordon Nr. 983: »Café am Morgen« 1935.

Nr. 84 TALEINSCHNITT BEI DAVOS

Aquarell und Kohle 1923. Satiniertes Papier. Größe
36 x 50,5 cm. – Nachlaß des Künstlers.


Nr. 85 ZWEI AKTE IM WALD

Aquarell und Feder 1933. Weißes, festes, satiniertes
Papier. Größe 35 x 47,5 cm. – Nachlaß des Künstlers.

Nr. 86   WIGMAN-TÄNZERINNEN

Aquarell und farbige Kreiden 1926. Graues Papier. Größe 34,5 x 48 cm. – Nachlaß
des Künstlers.

Nr. 87   MARY WIGMAN-TANZGRUPPE

Aquarell und blaue Kreide 1928. Gelbliches, festes, satiniertes Papier. Größe ca.
35,5 x 50,5 cm. – Nachlaß des Künstlers.

## Nr. 88 STUDIE ZUM GEMÄLDE »FARBENTANZ«

Aquarell und Bleistift 1932. Gelbliches, festes, satiniertes Papier. Größe 51 x 36 cm. Studie zum Gemälde »Farbentanz I«, Gordon Nr. 948 und »Farbentanz II«, Gordon Nr. 968. Das Thema »Farbentanz« war unter anderem als Teil für die Ausmalung des Festsaales im Museum Folkwang in Essen gedacht, wurde aber in der Folge nicht ausgeführt. Abbildung des Gemäldes »Farbentanz II« Gordon Nr. 968, Seite 57, Kat. Nr. 37 in diesem Katalog. – Nachlaß des Künstlers.

## Nr. 89 MARY WIGMAN UND IHRE TANZGRUPPE

Aquarell und Kohle 1926. Weißes, satiniertes Papier. Größe 52 x 36,5 cm. Links unten in Bleistift signiert und datiert »26«.

### Nr. 90   WIGMAN-TÄNZERIN

Farbige Kreiden 1926. Lichtgraues Papier. Größe 48 x 34 cm. Vergleiche eine der vielen Studien zu Gordon Nr. 839: »Totentanz der Mary
Wigman« 1926/1928. – Nachlaß des Künstlers.

### Nr. 91   NACKTE BADENDE MIT GELBER PLASTIK

Aquarell und Bleistift 1926. Gelbliches, festes,
satiniertes Papier. Größe 50 x 35 cm. Rechts
unten in Tinte signiert. Rückseitig komplette
Kohlezeichnung »Essende Bauern am Tisch«.

## Nr. 92  BARFÜSSERPLATZ, BASEL

Farbkreiden- und Federzeichnung 1936.
Weißes, satiniertes Papier. Größe 26 × 25
cm. Studie zum gleichnamigen Gemälde
Gordon Nr. 999: »Barfüßerplatz in Basel«
1936–37, farbig abgebildet in diesem Katalog Seite 65, Kat. Nr. 41. – Vergleiche
ebenso lavierte Federzeichnung 1936,
abgebildet in diesem Katalog Seite 118,
Kat. Nr. 134. – Nachlaß des Künstlers.

## Nr. 93  ZEITGLOCKENTURM IN BERN

Aquarell und Bleistift 1933. Gelbliches, festes, satiniertes Papier. Größe 50,5 × 36
cm. Eine der Studien zum Gemälde Gordon Nr. 977: »Bern mit Zeitglockenturm
1935«. – Nachlaß des Künstlers.

## Nr. 94   STILLEBEN MIT FRUCHTSCHALE UND KATZE

Farbige Kreidezeichnung und Kohle 1931. Festes, satiniertes Papier. Größe 50 x 35,5 cm. Mit Bleistift überzeichnet und mit teilweisen Farbangaben. Rechts unten Einriß ca. 1 cm hinterlegt. Vorstudie zum Gemälde Gordon Nr. 954: »Stilleben mit Katze und Pfeife 1930–32«. Das Gemälde ist farbig abgebildet in diesem Katalog Seite 52, Kat. Nr. 34. Vergleiche auch Dube Radierung Nr. 646. – Nachlaß des Künstlers.

## Nr. 95   BERGWALDBÄUME

Farbstiftzeichnung 1919. Leicht violettes Büttenpapier. Größe 61 x 47,5 cm. Vergleiche Gordon Nr. 530: »Bergwaldbäume« 1918. Linke untere Ecke außerhalb der Darstellung abgerissen. – Nachlaß des Künstlers.

Nr. 96   ERNA VOR DEM KIRCHNER-HAUS, WILDBODEN

Aquarell und Bleistift 1935. Hellbraunes Papier. Größe 45 x 29 cm. Vergleiche Gemälde Gordon Nr. 862 »Frau Kirchner« 1926/1927. – Nachlaß des Künstlers.

Nr. 97   STRASSENSZENE MIT AUTO

Aquarell und Tusche 1929. Gelbliches, festes Papier. Größe 28,5 x 42,5 cm. –
Nachlaß des Künstlers.

Nr. 98   ELEKTRISCHE LEITUNG MIT BLICK AUF TINSENHORN UND
RHÄTISCHE BAHN

Aquarell und Kohle 1927. Gelbliches, satiniertes Papier. Größe 25,5 x 35 cm. Vergleiche Gordon Nr. 860: »Berglandschaft mit elektrischer Leitung« 1926–28. –
Nachlaß des Künstlers.

Nr. 99    SCHLEPPER AUF DEM FLUSS

Aquarell 1928. Größe 35 x 50 cm. Rechts gegen den unteren Rand in Bleistift signiert und datiert: »28«. Auf dem alten Passepartout vom Künstler bezeichnet: »Schlepper auf Fluß, Aqu«. Das Blatt entstand im Zusammenhang mit dem Farbholzschnitt Dube Nr. 575, 1927: »Flußlandschaft mit Kran und Schleppzug«.

Nr. 100    BERGSEE NACH DEM REGEN

Aquarell 1933. Kartonstarkes Zeichenpapier. Größe 35,5 x 50 cm. Rechts unten signiert und datiert »33«. Auf dem alten Passepartout vom Künstler betitelt: »Lac de montagne après la pluie«.

Nr. 101  FRÄNZI IN DER
HÄNGEMATTE

Schwarze Kreidezeichnung 1910.
Hellbraunes Papier. Blattgröße
33,2 x 43,6 cm. – Nachlaß des
Künstlers.

Nr. 102  AKTGRUPPE

Schwarze Kreidezeichnung 1909.
Hellbraunes Papier. Blattgröße 33 x
43 cm. – Nachlaß des Künstlers.

Nr. 103  DODO VOR DEM
SPIEGEL

Bleistiftzeichnung 1910. Hellbraunes Papier. Blattgröße 33,6 x 43,5
cm. Am Unterrrand 0,8 cm Einriß in
der Mitte, hinterlegt. Der Oberrand
ca. 1 cm gebräunt. – Nachlaß des
Künstlers.

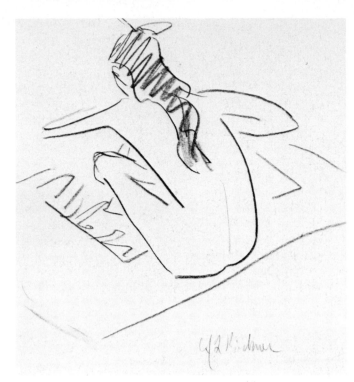

Nr. 104    FRÄNZI UND IHRE MUTTER

Schwarze Kreidezeichnung 1910. Gelblich satiniertes Papier. Blattgröße 45 x 35 cm. – Nachlaß
des Künstlers.

Nr. 105    SITZENDE NACKTE FRÄNZI VON
RÜCKWÄRTS

Reiskohlezeichnung 1910. Leicht satiniertes Papier. Blattgröße 37,2 x 34,5 cm. Rechts unten in
Bleistift signiert.

Nr. 106    DODO MIT HUT AM KACHELOFEN

Schwarze Kreidezeichnung 1908. Hellbraunes
Papier. Blattgröße 44,2 x 34,3 cm. – Nachlaß des
Künstlers.

Nr. 107    SCHMIDT-ROTTLUFF UND
EMMY FRISCH

Bleistiftzeichnung 1908. Gelblich satiniertes Papier. Blattgröße  44 x 34 cm. – Nachlaß des
Künstlers.

Nr. 108  LANDSCHAFT MIT
BÄUMEN BEI DRESDEN

Kohle und schwarze Fettkreide, mit
Kohle gewischt 1910. Gelblich satiniertes Papier. Blattgröße 34,7 x
44,5 cm. – Nachlaß des Künstlers.

Nr. 109  VIER BADENDE AUF
FEHMARN

Bleistiftzeichnung 1914. Leichtes,
gelbliches, satiniertes Papier. Blattgröße  45,6 x 56,6 cm.  –  Nachlaß
des Künstlers.

Nr. 110  ERNA, GERDA UND
GEWECKE AM TEETISCH MIT
PLASTIK IM HINTERGRUND

Bleistiftzeichnung 1912. Chamoispapier.  Blattgröße  32 x 50 cm.
Rechts unten in Bleistift signiert.

Nr. 111   GUT STABERHOF II

Schwarze Kreidezeichnung 1913.
Satiniertes Papier. Blattgröße 38,5 x
48,3 cm. – Studie zum Gemälde:
»Gut Staberhof II 1913«, Gordon
Nr. 323, ehem. Alfred Hess, Erfurt
und Morton D. May, Saint Louis. –
Nachlaß des Künstlers.

Nr. 112   GUTSHOF
(GUT STABERHOF MIT PFERD)

Schwarze Kreidezeichnung 1913.
Chamoispapier. Blattgröße   40 x
48,5 cm. Rechts unten in Bleistift si-
gniert. Rückseitig rechts unten in
Bleistift betitelt: »Gutshof«. – Die
Zeichnung entstand im Zusam-
menhang mit dem Gemälde: »Gut
Staberhof I« 1913, Gordon Nr. 322.
Besitz: Kunsthalle Hamburg.

Nr. 113   SCHLAFENDER BUBE
(AM FEHMARNSTRAND)

Schwarze   Fettkreidezeichnung
1914. Gelbliches, satiniertes Papier.
Blattgröße 34,5 x 50,5 cm. Rechts
unten (um 1932) in Kohle signiert.
Rückseitig in Bleistift betitelt und
datiert: »Schlafender Bube 1912«.

Nr. 114  SEGELBOOTE FEHMARN

Schwarze Kreidezeichnung 1913. Gelbliches, satiniertes Papier. Blattgröße 40 x 48,7 cm. Rechts unten in Bleistift signiert. Rückseitig in Bleistift betitelt und datiert: »Segelboote Fehmarn 13«, sowie Kohlezeichnung: Badende Fehmarn.

Nr. 115  BAUMGRUPPE AUF FEHMARN

Schwarze Kreidezeichnung 1913. Gelbliches, satiniertes Papier. Blattgröße 46 x 59 cm. – Nachlaß des Künstlers.

Nr. 116  PARTIE AUS DEM GROSSEN GARTEN IN DRESDEN

Tuschpinselzeichnung 1910. Satiniertes Papier. Blattgröße 32 x 44 cm. – Nachlaß des Künstlers.

Nr. 117   SITZENDER UND STEHENDER
AKT AM OFEN

Bleistiftzeichnung 1914. Leicht gelbliches, satiniertes Papier. Blattgröße 52 x 39,3 cm. Vergleiche Dube Radierung Nr. 171: »Zwei Mädchenak-
te und Ofen« 1914. – Nachlaß des Künstlers.

Nr. 119   SITZENDE FRAU VOR OFEN

Bleistiftzeichnung 1914. Leicht satiniertes Papier. Blattgröße 51 x 38,2 cm.     Nachlaß des
Künstlers.

Nr. 118   STEHENDER AKT VOR OFEN

Bleistiftzeichnung 1914. Leicht satiniertes Papier. Blattgröße 52,5 x 39,5 cm. Rechts unten in
Bleistift signiert. – Etwas knitterig.

Nr. 120   NACKTE FRAU AN STEINEN

Schwarze Kreidezeichnung 1914. Gelbliches,
satiniertes Papier. Blattgröße 49,5 x 36 cm.
Rückseitig vom Künstler in Bleistift: »Nackte
Frau an Steinen«, sowie Reproduktionsvermer-
ke. – Vgl. Dube Radierung Nr. 171. Abbildung:
Grohmann, Das Werk E. L. Kirchners (München
1926), Seite 20. – Nachlaß des Künstlers.

113

Nr. 121   BADENDE MIT REITER IM
MORITZBURGER SEE

Schwarze Kreidezeichnung 1910. Hellbraunes
Papier. Blattgröße 42,5 x 33,7 cm. – Vergleiche
Nr. 12 »Reitender Badender im Moritzburger See
1909«, Zeichnungen und Pastelle, E. L. Kirchner,
1979, herausgegeben von R. N. Ketterer im Belser-Verlag, Stuttgart. – Nachlaß des Künstlers.


Nr. 123   LESENDER MANN – BOTHO GRAEF

Rohrfederzeichnung in Tusche 1914. Gelbliches,
satiniertes Papier. Blattgröße 30,5 x 23,5 cm. –
Nachlaß des Künstlers.

Nr. 122   BADENDE AM MORITZBURGER SEE
(FRÄNZI, MARCELLA UND DIE MUTTER DER
BEIDEN MÄDCHEN)

Kohlezeichnung 1910. Hellbraunes Papier. Blattgröße 43,5 x 33,8 cm. – Vergleiche Gordon Nr.
146 »Drei Badende in Moritzburg 1910«. – Nachlaß des Künstlers.

Nr. 124   WALDINNERES AUF FEHMARN

Schwarze Kreidezeichnung 1914. Festes, satiniertes, gelbliches Papier. Blattgröße 57 x 46 cm.
– Die Zeichnung entstand wohl im Zusammenhang mit dem Gemälde Gordon Nr. 339 »Waldinneres« 1913. – Nachlaß des Künstlers.

## Nr. 125 STUDIEN, AKROBATENPAAR

Bleistiftzeichnung mit blauer Tusche laviert und braune Kreide 1932. Gelbliches,
satiniertes Papier. Blattgröße 34,5 x
54,5 cm. – Diverse Studien zum Gemälde Gordon Nr. 966 »Akrobatenpaar,
Plastik, 1932/1933«, farbig abgebildet in
diesem Katalog Seite 54, Kat. Nr. 36. – Studien ebenfalls zur Plastik »Zwei Akrobatinnen 1932«, farbig abgebildet in diesem Katalog Seite 72 und 73, Kat. Nr. 45. – Bei der
Zeichnung ist der Basler Nachlaß-Stem-
pel irrtümlich oben links angebracht.

## Nr. 126 STILLEBEN MIT GESCHNITZTER FIGUR

Schwarze Kreidezeichnung 1933. Blattgröße 36,2 x 46 cm. Rechts unten in Bleistift signiert. Vom Künstler an den oberen
Ecken auf das Untersatzblatt befestigt. Auf
dem alten Passepartout vom Künstler in
Bleistift betitelt und datiert: »Stilleben mit
geschnitzter Figur Kreide 27«. (Diese Auf-
schrift ist zweifellos später hinzugefügt.) –
Zeichnung zum Gemälde Gordon Nr. 992:
»Stilleben mit Plastik vor dem Fenster
1933–1935«, farbig abgebildet in diesem
Katalog Seite 53, Kat. Nr. 35. – Abbildung
der Plastik zu dieser Zeichnung Seite 60
und 69, Kat. Nr. 43, sowie Abbildung der
Farbkreidenzeichnung 1933 Seite 97, Kat.
Nr. 80, beide farbig abgebildet in diesem
Katalog.

## Nr. 127 WILDE KUH UND HIRT

Kohlezeichnung 1933. Festes, satiniertes,
gelbliches Papier. Blattgröße 35 x 50,5 cm.
– Zeichnung zum gleichnamigen Holzschnitt Dube Nr. 642, abgebildet in diesem
Katalog Seite 130, Kat. Nr. 173. – Nachlaß
des Künstlers.

Nr. 128   TAUNUSLANDSCHAFT
MIT BLICK AUF KÖNIGSTEIN

Kreidezeichnung 1916. Festes, gelblich satiniertes Papier. Blattgröße 33 x 51 cm. Rückseitig: Skizze »Bauern bei der Heuernte und Kuh«. – Nachlaß des Künstlers.

Nr. 129   LANDSCHAFT IM TAUNUS MIT BLICK AUF DEN FELDBERG-TURM

Farbstift und Kohlezeichnung, teilweise gewischt 1916. Kartonstarkes, gelbliches Papier. Blattgröße 36 x 55,5 cm. Am Oberrand Einriß ca. 2 cm, hinterlegt. – Nachlaß des Künstlers.

Nr. 130   WEIDENDE TIERE IM LÄRCHENWALD

Rohrfederzeichnung in Tusche 1917. Kartonstarkes Papier. Blattgröße 38 x 50 cm. – Nachlaß des Künstlers.

Nr. 131 HIRTE MIT ZIEGEN AM
BRUNNEN VOR HÜTTE AUF
STAFELALP

Lavierte Tuschezeichnung 1918.
Gelbliches, satiniertes Papier. Blattgröße 46 x 59 cm. Rückseitig Skizze: Badende auf Fehmarn. – Nachlaß des Künstlers.

Nr. 132 WANDERER IM
BERGWALD

Tusche laviert und schwarze Kreidezeichnung 1920. Kartonstarkes
Papier mit Kreideauflage. Blattgröße 38 x 50 cm. – Nachlaß des
Künstlers.

Nr. 133 WEIDENDE KÜHE AUF
DER STAFELALP

Schwarze Kreide mit Reiskohle gewischt 1920. Blattgröße 37,7 x 48,7
cm. Rückseitig in Kohle: Schöne
vollständige Landschafts-Skizze. –
Nachlaß des Künstlers.

117

Nr. 134

Nr. 135

Nr. 136

Nr. 137

Nr. 134  BARFÜSSERPLATZ
IN BASEL

Lavierte Federzeichnung in blauer Tinte 1936.
Kartonstarkes Papier. Blattgröße 50,3 x 36 cm.
Studie zum Gemälde »Stadtbild: Barfüßerplatz in
Basel 1936«, Gordon Nr. 999, Seite 64, Kat. Nr. 41.
– Vergleiche ebenfalls Farbkreidezeichnung
1936, Seite 103, Kat. Nr. 92, beide farbig abge-
bildet in diesem Katalog. – Nachlaß des Künst-
lers.

Nr. 135  WEG IM SERTIGTAL

Schwarze Kreidezeichnung 1924. Gelbliches,
satiniertes Papier. Blattgröße 50,3 x 36 cm.
Rückseitig Skizze: Eishockey-Spieler. Verglei-
che Nr. 77 »Sertigtal 1924«, Zeichnungen und
Pastelle von E. L. Kirchner, herausgegeben von
R. N. Ketterer im Belser-Verlag, Stuttgart 1979. –
Nachlaß des Künstlers.

Nr. 136  ERNA HINTER BLUMENVASE UND
BESUCHER

Schwarze Kreidezeichnung 1935. Festes, satiniertes Papier. Blattgröße 50 x 40,5 cm. Oben
links in schwarzer Kreide signiert und »35« datiert.

Nr. 137  ERNA, RÜCKENAKT

Tusche und schwarze Kreide, in Tuschfeder
überzeichnet 1921. Satiniertes Papier. Blattgröße
44,5 x 37,4 cm. Oben links in Bleistift signiert.
Rückseitig (um 1930) betitelt und datiert: »Rük-
kenakt 1920«. Rückseitig Aktskizzen. – Vergleiche Dube Holzschnitt: Nr. 454 »Badende im
Raum 1921«.

**Nr. 138   SELBSTBILDNIS MIT ERNA**

Holzschnitt 1933. Dube Nr. 634/I. Imitiertes Japanpapier. Blattgröße 61,5 x 41,7 cm. In zahlreichen Partien vom Künstler in Tusche übergangen. – Nachlaß des Künstlers.


**Nr. 139   KÜNSTLER UND MODELL**

Holzschnitt 1933. Dube Nr. 635/IV. Imitiertes Japanpapier. Blattgröße 57,7 x 40 cm. – Nachlaß des Künstlers.


**Nr. 140   DIE ENTSCHEIDUNG**

Holzschnitt 1928. Dube Nr. 601/I. Bräunliches Papier. Blattgröße 55 x 41,4 cm. – Das bei Dube abgebildete Exemplar mit den vom Künstler übergangenen Tuschepartien. – Nachlaß des Künstlers.


**Nr. 141   TANZ AUS DEM »NARRENSPIEGEL«
VON LABAN**

Holzschnitt 1927. Dube Nr. 578/II. Imitiertes Japanpapier. Blattgröße 63,7 x ca. 39,2 cm. Rechts unten in Bleistift signiert und datiert »26«. Links unten in Bleistift »Eigendruck«. Unten in der Mitte in Blaustift: »Tanz aus dem Narrenspiegel von Laban II«. – Das Exemplar ist an zahlreichen Stellen vom Künstler mit Tusche übergangen, vor allem in der Mütze der Tänzerin. Dabei wurden herausgeschnittene Stellen mit Tusche zugestrichen. Es handelt sich dabei wahrscheinlich um einen III., Dube unbekannt gebliebenen Zustand, der den ursprünglichen Eindruck des II. Zustandes wiederherstellt.

Nr. 138

Nr. 139

Nr. 140

Nr. 141

Nr. 142   TRENNUNG

Holzschnitt 1905. Dube Nr. 47. Handgeschöpftes Bütten. Blattgröße 29,5 x 27,8 cm. Rechts unten in Bleistift signiert. Rückseitig Stempel des Künstlers: Unverkäuflich E. L. Kirchner.

Nr. 143   VOR DEN MENSCHEN

Holzschnitt 1905. Dube Nr. 45/II. Japanpapier. Blattgröße 51,6 x 32,3 cm. – Nachlaß des Künstlers.

Nr. 144   TAUBENJÄGER IM GEHÖLZ

Holzschnitt 1913. Dube Nr. 224. Imitiertes schweres Japanpapier. Blattgröße 66 x 44 cm. – Nachlaß des Künstlers.

Nr. 145   INDISCHE TÄNZERIN

Lithographie 1911. Dube Nr. 173. Leicht satiniertes Papier. Blattgröße 45 x 34 cm. – Nachlaß des Künstlers.

Nr. 146   RUHENDES MÄDCHEN

Holzschnitt 1905. Dube Nr. 27. Bütten. Blattgröße 23 x 13 cm. Rechts unten in Bleistift vom
Künstler: »45«. – Das von Schiefler beschriebene Exemplar. – Nachlaß des Künstlers.

Nr. 148   LACHENDE GERTY

Holzschnitt 1907. Dube Nr. 119. Imitiertes Japanpapier. Blattgröße 29,8 x 23,5 cm. – Aus dem Pri-
vatbesitz des Bruders Walter Kirchner. Rückseitig mit verschiedenen Bemerkungen des Bruders.

Nr. 147   KINDERBILDNIS

Holzschnitt 1905. Dube Nr. 32. Handgeschöpftes Bütten. Blattgröße 28,8 x 17,3 cm. Links unten in Bleistift signiert. Rechts unten in Bleistift:
»Handdruck«. – Schöner Druck.

Nr. 149   FRAUENKOPF IN SCHLEIER
(ERNA KIRCHNER)

Holzschnitt 1915. Dube Nr. 253. Bütten. Blattgröße 45,7 x 34 cm. Rechts unten in Bleistift signiert. – Vergleiche Gordon Nr. 276 »Frauenporträt mit dunklem Schleier 1912«, farbig abgebildet in diesem Katalog Seite 10, Kat. Nr. 6.

Nr. 150  AUSBLICK AUF
DAS MEER

Holzschnitt 1912. Dube Nr. 198.
Bütten. Blattgröße 13,5 x 19,3 cm.
Rechts unten in Bleistift von Erna
Kirchner signiert. Unten links in
Bleistift Titel und Datierungen von
fremder Hand. Rückseitig Stempel
des Künstlers: Unverkäuflich E. L.
Kirchner.

Nr. 151  ELDORADO

Holzschnitt 1911.  Dube Nr. 189/II.
Handgeschöpftes Bütten. Blattgröße 29 x 34 cm. In verschiedenen
Partien vom Künstler mit Tusche
übergangen. – Nachlaß des Künstlers.

Nr. 152  RUHENDER
MÄDCHENAKT

Holzschnitt 1905. Dube Nr. 59/II.
Bütten. Blattgröße 11,2 x 17,2 cm.
Links unten in Bleistift signiert.
Rechts unten in Bleistift: »Handdruck«. Auf Untersatzkarton in Tusche Nr.: »11«. – Das von Schiefler
beschriebene Exemplar.

Nr. 153   FLANIERENDE LEUTE

Holzschnitt 1905. Dube Nr. 35. Handgeschöpftes Bütten. Blattgröße 20,5 x 14,7 cm. Links unten in Bleistift signiert. Rückseitig Stempel des
Bruders Walter Kirchner.

Nr. 154   KLEINES VARIETE MIT SÄNGERIN

Holzschnitt 1912. Dube Nr. 191/II. Bütten. Blattgröße 33 x 26,1 cm. Vom Künstler auf Untersatzkarton aufgelegt, am Unterrand in Tusche
Schiefler-Nr. »181«. – Nachlaß des Künstlers.

Nr. 156   KOPF GUTTMANN VOR RUNDEM
TISCH UND FIGUREN

Holzschnitt 1912. Dube Nr. 193. Imitiertes Japanpapier. Blattgröße 37,8 x 28,5 cm. Rechts unten
in Bleistift von Erna Kirchner signiert. Rückseitig
Stempel des Künstlers: Unverkäuflich E. L.
Kirchner.

Nr. 155   KOPF FRAU NOLDE

Holzschnitt 1906. Dube Nr. 97. Handgeschöpftes Bütten. Blattgröße 31,5 x 24 cm. Links unten
in Bleistift signiert. Rechts unten: »Handdruck«.

Nr. 157   KOPF GOSEBRUCH

Holzschnitt 1915. Dube Nr. 249/II. Bütten. Blattgröße 45,3 x 32,8 cm. Rechts unten in Bleistift signiert. Vom Künstler an den oberen Ecken auf
ein Untersatzblatt montiert. Am Unterrand des
Untersatzblattes in Tusche die Nr.: »233«. – Das
von Schiefler beschriebene Exemplar. – Nuancenreicher, besonders schöner Druck.

Nr. 158   PORTRÄT FRAU GROHMANN

Holzschnitt 1927. Dube Nr. 589/I. Schweres imitiertes Japanpapier. Blattgröße 59,3 x 41,2 cm. –
Nachlaß des Künstlers.

Nr. 159   KOPF DICHTER FRANK I

Holzschnitt 1917/18. Dube Nr. 321/II. Imitiertes
Japanpapier. Blattgröße 57 x 41,2 cm. Rechts
unten in Bleistift: »Frankkopf 2. Fassung 17«. –
Nachlaß des Künstlers. – Schöner, klarer Druck.

Nr. 160   PORTRÄT GOSEBRUCH

Holzschnitt 1925. Dube Nr. 543. Imitiertes Japanpapier. Blattgröße 66,4 x 32,9 cm. Unten in
der Mitte in Bleistift betitelt und datiert: »24 Gosebruch«. – Nachlaß des Künstlers.

Nr. 161 KOPF DR. LUDWIG
BINSWANGER UND KLEINE
MÄDCHEN

Holzschnitt 1917/18. Dube Nr. 320.
Schweres imitiertes Japanpapier.
Blattgröße 44,2 x 66 cm. Links unten in Bleistift Titel des Holzschnit-
tes von fremder Hand. – Nachlaß
des Künstlers.

Nr. 162 ALP IM MONDSCHEIN

Holzschnitt 1919. Dube Nr. 399/II.
Schweres imitiertes Japanpapier.
Blattgröße 41,5 x 66,8 cm. Links un-
ten von fremder Hand betitelt. –
Nachlaß des Künstlers.

Nr. 163 ABSALOM SPRICHT
RECHT AN SEINES VATERS STATT

Holzschnitt 1918. Dube Nr. 363. Japanpapier. Blattgröße 44,3 x 52 cm.
– Nachlaß des Künstlers. – Besonders schöner, ausdrucksreicher
Druck.

Nr. 164   MALER UND ZWEI FRAUEN

Holzschnitt 1927. Dube Nr. 583/I. Imitiertes Japanpapier. Blattgröße 47,8 x 32,5 cm. – Nachlaß
des Künstlers.

Nr. 165   NACKTE FRAU MIT KATZE

Holzschnitt 1927. Dube Nr. 584/I. Imitiertes Ja-
panpapier. Blattgröße 49,7 x ca. 37 cm. Rückseitig in Blaustift vom Künstler betitelt: »Nackte Frau mit Katze I«. – Nachlaß des Künstlers.

Nr. 166   STEHENDE NACKTE FRAUEN IN
DER SONNE

Holzschnitt 1928. Dube Nr. 604/V. Imitiertes Japanpapier. Blattgröße 59,3 x ca. 43 cm. Rechts
unten in Bleistift signiert. Links unten in Bleistift:
»Eigendruck«. – Besonders schöner Druck.

Nr. 167   ZWEI WEIBLICHE AKTE IM WALDE

Holzschnitt 1929. Dube Nr. 610/II. Schweres
imitiertes Japanpapier. Blattgröße 59,8 x 43,7
cm. In der Mitte in Bleistift vom Künstler betitelt
und datiert: »Nackte Frauen unter Gebüsch
H 27«. – Nachlaß des Künstlers.

Nr. 168    DRAHTSEILAKT

Holzschnitt 1921. Dube Nr. 459/IIb. Imitiertes Japanpapier. Blattgröße 40,3 x ca. 27 cm. Unten in der Mitte vom Künstler in Bleistift: »2 Zustand«. Die übrigen Bleistiftvermerke von fremder Hand. – Nachlaß des Künstlers. – Druck in Rot. – Besonders schöne Farbgebung.

Nr. 170    BAUERNLIEBESPAAR

Holzschnitt 1920. Dube Nr. 431/II. Japanpapier. Blattgröße 21 x 21,3 cm. – Nachlaß des Künstlers.

Nr. 169    DIE ENTSCHEIDUNG

Holzschnitt 1928. Dube Nr. 601/II. Rosa Kupferdruck-Papier. Blattgröße 57 x 44 cm. Rechts unten in Bleistift signiert. Links unten in Bleistift: »Figendruck«.

Nr. 171    KOPF BUTZ (PFLEGER DES KÜNSTLERS 1917/18 IN KREUZLINGEN)

Holzschnitt 1917/18. Dube Nr. 323. Imitiertes Japanpapier. Blattgröße 52,5 x 40,2 cm. Rechts unten vom Künstler in Bleistift: »B. 17«. – Nachlaß des Künstlers. – In dieser Druckqualität äußerst selten.

Nr. 172   GEORG SCHMIDT UND FRAU

Holzschnitt 1926. Dube Nr. 551/II. Imitiertes Japanpapier. Blattgröße 41 x 52 cm. – Dr. Georg Schmidt, ehemals Direktor des Kunstmuseums Basel, war Förderer und Freund von E. L. Kirchner. Dr. Georg Schmidt verdanken wir die Sicherung und Katalogisierung des Nachlasses E. L. Kirchners im Jahre 1945. – Nachlaß des Künstlers.

Nr. 173   WILDE KUH UND HIRT

Holzschnitt 1933. Dube Nr. 642. Imitiertes Japanpapier. Blattgröße 38,4 x 58,3 cm. Vergleiche Kohlezeichnung »Wilde Kuh und Hirt« 1933, abgebildet in diesem Katalog Seite 115, Kat. Nr. 127. – Nachlaß des Künstlers.

Nr. 174   DREI AKTE IM WALDE

Holzschnitt 1933. Dube Nr. 637a/I. Imitiertes Japanpapier. Blattgröße 41,6 x 52 cm. – Nachlaß des Künstlers. – Druck in Schwarz.

Nr. 175   TANZENDE KINDER

Holzschnitt 1926. Dube Nr. 565/I. Imitiertes Japanpapier. Blattgröße 47,7 x ca. 31,6 cm. Rechts unten in Bleistift signiert. Links unten: »Eigendruck«.

Nr. 177   PALUCCA

Holzschnitt 1930. Dube Nr. 624a/II. Bütten. Blattgröße 47,5 x ca. 37,5 cm. In der linken und oberen Partie hat der Künstler mit einem zweiten Druckstock die Schwarzflächen überdruckt. Rückseitig Reste desselben Motives mit dem zusätzlichen Holzstock. – Vergleiche Gemälde Seite 51, Katalog Nr. 33, farbig abgebildet in diesem Katalog. – Nachlaß des Künstlers.

Nr. 176   TELL ERSCHIESST DEN GESSLER

Holzschnitt 1927. Dube Nr. 576/II. Imitiertes Japanpapier. Blattgröße 60,8 x 42 cm. – Nachlaß des Künstlers. — Kräftiger, ausdrucksstarker Druck.

Nr. 178   DER KUSS

Holzschnitt 1930. Dube Nr. 621/I. Imitiertes Japanpapier. Blattgröße 55,8 x 42 cm. – Nachlaß des Künstlers.

131

Nr. 179  CLAVADELER BERG
VON FRAUENKIRCH AUS

Holzschnitt 1933. Dube Nr.
646/II. Imitiertes Japanpapier.
Blattgröße  39,8 x 57,5  cm.  –
Nachlaß des Künstlers.

Nr. 180  HEDWIGSKIRCHE
BERLIN

Holzschnitt 1927. Dube Nr. 574.
Japanpapier.  Blattgröße  39 x
63,6 cm. – Nachlaß des Künstlers.

Nr. 181  LIEGENDE FRAU
AUF SOFA

Holzschnitt 1926. Dube Nr.
556/II. Imitiertes Japanpapier.
Blattgröße  36,4 x 47 cm. Links
unten in Bleistift betitelt von
fremder Hand. – Nachlaß des
Künstlers.

132

Nr. 182   BADEANSTALT

Holzschnitt 1936. Dube Nr. 665/II. Imitiertes Japanpapier. Blattgröße 58,8 x 41,3 cm. – Nachlaß
des Künstlers.

Nr. 183   DREI BADENDE

Holzschnitt 1926. Dube Nr. 561. Imitiertes Japanpapier. Blattgröße 55,8 x 42,8 cm. – Nachlaß
des Künstlers. – Schöner, klarer Druck.

Nr. 184   NACKTES MÄDCHEN AUF TEPPICH

Holzschnitt 1924. Dube Nr. 524/II. Bütten. Blatt-
größe 62,5 x 43 cm. Unten rechts in Bleistift vom
Künstler signiert und betitelt: »E.L. Kirchner
Nacktes Mädchen auf Teppich II. Zustand«.
Links unten in Bleistift: »Handdruck«.

Nr. 185   NACKTES MÄDCHEN VOR
GESCHNITZTEM PFOSTEN

Holzschnitt 1924. Dube Nr. 529. Schweres imitiertes Japanpapier. Blattgröße 57,5 x 44 cm. –
Nachlaß des Künstlers.

133

Nr. 186   BILLARDSPIELER

Radierung 1908. Dube Nr. 41. Hell-
graues, handgeschöpftes Bütten.
Blattgröße 21 x 25,4 cm. – Nachlaß des
Künstlers. – Schöner Druck.

Nr. 187   STRASSENECKE DRESDEN

Radierung 1909. Dube Nr. 60. Handgeschöpftes Bütten. Blattgröße 44 x
35,5 cm. Links unten von fremder
Hand betitelt und datiert. – Nachlaß
des Künstlers. – Ausgewogener Druck
mit Plattenton.

Nr. 188   MALER UND NACKTE FRAU
BEI DER LAMPE

Radierung 1906. Dube Nr. 8. Zartgraues, handgeschöpftes Bütten.
Blattgröße 43,5 x 34,5 cm. Rechts unten in Bleistift von Erna Kirchner signiert. Rückseitig Stempel des Künstlers: Unverkäuflich E. L. Kirchner. –
Nachlaß des Künstlers. – Ungewöhnlich gratiger, tieftoniger und kontrast-
reicher, schöner Druck.

Nr. 189  FEHMARNHAUS MIT
PFERDEN

Radierung 1908. Dube Nr. 49. Handgeschöpftes Bütten. Blattgröße 22,3 x 35,5
cm. Rechts unten von Erna Kirchner signiert. Links unten von fremder Hand betitelt und datiert. Rückseitig 2mal Stempel
des Künstlers: Unverkäuflich E. L. Kirchner. – Tiefgratiger, kräftiger Druck.

Nr. 190  WANNSEE BEI POTSDAM
MIT MOTORBOOT

Radierung 1910. Dube Nr. 117. Festes, satiniertes, weißes Papier. Blattgröße 35,5 x
25,8 cm. – Nachlaß des Künstlers. –
Tiefgratiger, kräftiger Druck mit Plattenton.

Nr. 191  SANDBAGGER AN DER ELBE

Radierung 1908. Dube Nr. 46. Schweres
Bütten. Blattgröße 26 x 20,2 cm. Rechts
unten in Bleistift signiert. Links unten in
Bleistift: »Eigendruck«. Rückseitig Stempel des Künstlers: Unverkäuflich E. L.
Kirchner. – Prachtvoller, tieftoniger, stark
gewischter Druck.

Nr. 192

Nr. 193

Nr. 194

Nr. 195

Nr. 192   SITZENDES BADENDES MÄDCHEN
AM STRAND

Radierung 1908. Dube Nr. 38b/I. Gelbliches Kupferdruckpapier. Blattgröße 50 x 33 cm. Rechts unten in
Bleistift von Erna Kirchner signiert. Rückseitig Stempel des Künstlers: Unverkäuflich E. L. Kirchner. Plat-
tendurchbruch ca. 2 cm. Auf der Rückseite gut restau-
riert. – Besonders schöner, grüner Druck mit Plattenton.


Nr. 193   LUNGERNDES NACKTES MÄDCHEN
AUF DIWAN

Radierung 1908. Dube Nr. 37a/I. Zartgraues Bütten.
Blattgröße 38,2 x 28,4 cm. Tiefgratiger, prachtvoller
Druck mit Plattenton. – Nachlaß des Künstlers.


Nr. 194   SICH ABTROCKNENDE BADENDE MIT
HANDTUCH UND HALSKETTE

Radierung 1909. Dube Nr. 79. Kartonartiges, graues
Papier. Blattgröße 41,8 x 31,5 cm. Rechts unten in Blei-
stift signiert. Links unten in Bleistift: »Eigendruck«.
Rückseitig Bleistiftskizze. – Schöner, gratiger Druck.


Nr. 195   SITZENDER MÄDCHENAKT

Radierung 1907. Dube Nr. 17b. Festes, satiniertes Papier. Blattgröße 33,6 x 29,9 cm. Links unten in Bleistift
signiert. Zusätzlich links unten in Grünstift vom Künstler: »78«. – Prachtvoller tiefgratiger Druck mit reichlichem Plattenton und vom Künstler stark gewischt. –
Grüner Druck.

Nr. 196   DR. HAGEMANN

Radierung 1926. Dube Nr. 533/IIIb. Festes, satiniertes Papier. Blattgröße 44,2 x 32,1 cm. Links
unten von fremder Hand: »Dr. Hagemann«. –
Nachlaß des Künstlers. – Sehr schöner Druck in
Braun und stark gewischtem Plattenton.


Nr. 197   MILCHMÄDCHEN AUF DEM
BERGWEG

Radierung 1920. Dube Nr. 335/II. Festes, satinier-
tes Papier. Blattgröße 44 x 28,2 cm. – Nachlaß des
Künstlers. – Schöner, gratiger, nuancenreicher
Druck.


Nr. 198   BAUERNKOPF (MARTIN SCHMIED)

Radierung 1919. Dube Nr. 276/II. Festes, satiniertes Papier. Blattgröße 30,8 x 24 cm. Links unten in
Bleistift: »Probedruck«. Vom Künstler auf einem
Untersatzkarton an den oberen Ecken befestigt
und mit der Schiefler-Nummer »243« versehen,
die ursprüngliche Nummer »244« in Tinte durchgestrichen. – Nachlaß des Künstlers. – Prachtvoller, nuancenreicher, lebendiger, stark gewischter
Druck.


Nr. 199   HOLZBILDHAUERIN
(FRÄULEIN O.)

Radierung 1921. Dube Nr. 394b/III. Festes, satiniertes Papier. Blattgröße 43,5 x 29,6 cm. – Nachlaß des Künstlers. – Schöner Druck in Braun mit
reichlichem Plattenton, teilweise gewischt.

Nr. 196

Nr. 197

Nr. 198

Nr. 199

Nr. 200   BADENDE AUF STEINEN

Radierung 1913. Dube Nr. 164/II. Chamoispapier. Blattgröße 41,7 x 33,8 cm. Links
unten in Blaustift: »15/«. – Druckunter-
schied zu dem bei Dube abgebildeten II.
Zustand. – Nachlaß des Künstlers. –
Schöner Druck.

Nr. 201   FRAU MIT KATZE UNTER
JAPANISCHEM SONNENSCHIRM

Radierung 1919. Dube Nr. 267. Imitiertes
Japanpapier. Blattgröße ca. 29,5 x 34,7
cm. Rückseitig in Rotstift: »54«. – Das von
Dube erwähnte Exemplar: »übermaltes
Exemplar, nach Schiefler einziger Druck«.
– Nachlaß des Künstlers.

Nr. 202   DODO AM FENSTER

Radierung 1906. Dube Nr. 10/I. Schweres
Bütten. Blattgröße 35 x 38 cm. Druck in
Dunkelgrün. Rückseitig handschriftlicher
Vermerk des Künstlers: »Bruder und
Schwester 05, vollständige Platte, die
später um die Männerfigur verkleinert
wurde«. – Besonders schöner, unge-
wöhnlich gratiger Druck.

Nr. 203 BERGWEG,
VON OBEN GESEHEN

Radierung 1919. Dube Nr. 240/III. Festes, satiniertes Papier. Blattgröße 29,1x34cm. – Nachlaß des Künstlers. – Besonders schöner Druck mit reichlichem Plattenton.

Nr. 204 MELKENDER BAUER
IM STALL

Radierung 1919. Dube Nr. 254/I. Leicht satiniertes Papier. Blattgröße 29,7 x 38,1 cm. Rechts unten in Bleistift signiert. Links unten in Bleistift: »Eigendruck«. In der Mitte unten betitelt und datiert: »Melkender Bauer im Stall 19«. – Besonders schöner, flächig geätzter, in den Tönen differenzierter Druck.

Nr. 205 BERGHANG MIT ZIEGEN

Radierung 1920. Dube Nr. 351/III. Schweres Chamoispapier. Blattgröße 42,5 x 37 cm. Rückseitig rechts unten vom Künstler in Rotstift betitelt, datiert und numeriert: »Berghang mit Ziegen. 19 (Nr.) 119«. – Nachlaß des Künstlers. – Besonders schöner, gratiger Druck mit reichlich gewischtem Plattenton.

Nr. 206   HIRTENBUBE

Radierung 1920. Dube Nr. 317. Festes, satiniertes Papier. Blattgröße ca. 37,8 x 26,4 cm. Rechts unten in Bleistift signiert. Links unten in Bleistift: »Eigendruck«. Rückseitig Ausschnitt einer Rohrfederzeichnung. – Schöner, ausgewogener Druck mit Plattenton.

Nr. 207   TAUNUSTANNEN

Radierung 1916. Dube Nr. 217/II. Gelbliches, satiniertes Papier. Blattgröße 45,9 x 40,2 cm. Rechts unten signiert. Links unten Bemerkungen von fremder Hand. Rückseitig rechts unten vom Künstler in Bleistift: »17«. – Besonders schöner, gratiger Druck.

Nr. 208   BILDNIS PROFESSOR ENRICO PADUA

Radierung 1923. Dube Nr. 462/II. Festes, satiniertes Papier. Blattgröße 35,7 x 28 cm. Rechts unten in Bleistift signiert. In der Mitte unten betitelt und datiert: »Professor Enrico Padua 23«. – Schöner, ausgewogener Druck in Braun mit gewischtem Plattenton.

Nr. 209   KOPF PHILIPP BAUKNECHT

Radierung 1921. Dube Nr. 391/III. Gelbliches, satiniertes Papier. Blattgröße 33,5 x 23,5 cm. Rechts unten in Bleistift signiert. Links unten in Bleistift: »Eigendruck«. – Schöner, kräftiger Druck mit reichlich gewischtem Plattenton.

Nr. 210 DIE KRANKE
(ERNA KIRCHNER)

Radierung 1924. Dube Nr. 491. Satiniertes, Chamoispapier. Blattgröße
29,3 x 34,2 cm. Rechts unten in Bleistift signiert. Unten in der Mitte betitelt
und datiert: »Die Kranke im Bett 24«.
Im Hintergrund Triptychon Gordon
Nr. 527, entstanden 1918. – Das von
Kirchner für Erna geschnitzte Bett mit
den beiden Plastiken am Kopfende. –
Schwarz-brauner Druck mit Wisch-
tönen.

Nr. 211 BAUERNTANZ IN DER
SENNHÜTTE

Radierung 1920. Dube Nr. 296/I. Festes, satiniertes Papier. Blattgröße
23,2 x 34,8 cm. – Nachlaß des Künstlers. – Schöner, klarer Druck.

Nr. 212 ABTREIBENDE KÜHE

Radierung 1922. Dube Nr. 420. Chamoispapier. Blattgröße 30,2 x 37,4 cm.
– Nachlaß des Künstlers. – Prachtvoller, tiefgratiger, toniger Druck.

Nr. 213   STRICKENDE FRAU BEI DER LAMPE

Radierung 1922. Dube Nr. 403/I. Festes, satiniertes Papier. Blattgröße ca. 38,3 x 32,6 cm. Rückseitig in Rotstift: »191«. – Nachlaß des Künstlers. – Schöner, ausgewogener Druck.

Nr. 214   SITZENDE BÄUERIN

Radierung 1922. Dube Nr. 410/III. Satiniertes Papier. Blattgröße 30 x 29,3 cm. Rechts unten in Feder signiert. Probedruck vor der Auflage von 50 Exemplaren der Luxusausgabe von W. Grohmann »Das Werk E. L. Kirchners, München 1926«. Druck in Braun. – Es sind noch andere Probedrucke auf verschiedenem Papier bekannt.

Nr. 215   DER JAPANER

Radierung 1923. Dube Nr. 458. Druck auf rotem imitiertem Japanpapier. Blattgröße 31,1 x ca. 23,3 cm. Rechts unten in Bleistift signiert. Links unten in Bleistift: »Eigendruck«. Unten in der Mitte betitelt: »Herr Rochemont«. Rückseitig in Rotstift: »195«.

Nr. 216   SPIELENDE KINDER

Radierung 1923. Dube Nr. 440/II. Festes, satiniertes Papier. Blattgröße 34,7 x 29,2 cm. Rechts unten signiert. In der Mitte unten vom Künstler betitelt und datiert: »Spielende Mädchen II Zustand 23 (Nr. 55)«. – Schöner, ausdrucksvoller, gratiger, gewischter Plattenton.

Nr. 217 SENNEREI
(AUF DER STAFELALP)

Radierung 1920. Dube Nr. 339.
Gelbliches, satiniertes Papier. Blatt-
größe 29,1 x 37 cm. Unten in der
Mitte in Bleistift: »Sennerei 1919«.
Rückseitig in Rotstift: »63«. – Druck
in Blau mit zahlreichen Ätz-Partien.

Nr. 218 DIE ERSCHEINUNG
DER SIEBEN (ZU DE COSTERS
»TYLL ULENSPIEGEL«)

Radierung 1923. Dube Nr. 470/III.
Festes, satiniertes Papier. Blattgröße 30 x 35,5 cm. – Vergleiche
Gemälde Gordon Nr. 752 »Die Erscheinung der Sieben im Eulenspiegel« 1923/24, farbig abgebildet
in diesem Katalog Seite 32, Kat. Nr.
20. – Nachlaß des Künstlers. –
Schöner, gratiger Druck.

Nr. 219 ABSTEIGENDE KÜHE
UND ZIEGEN

Radierung 1919. Dube Nr. 248/II.
Imitiertes Japanpapier. Blattgröße
26,9 x 43,6 cm. Rückseitig in Rotstift: »Absteigende Kühe und Ziegen. (Nr.) 83«. – Nachlaß des Künstlers. – Besonders schöner, gratiger
und tieftoniger gewischter Druck.

145

**Nr. 220   DAS PAAR**

Radierung 1920. Dube Nr. 291. Festes, satiniertes Papier. Blattgröße 52,6 x 37,8 cm. Rechts unten in Bleistift signiert. Links unten in Bleistift: »Eigendruck«. Unten in der Mitte vom Künstler bezeichnet und datiert: »Das Paar 1920 1. Zustand«. Rückseitig in Rotstift vom Künstler: »124«. – Druck mit reichlich gewischtem Plattenton.

**Nr. 222   BADENDE IM BACH**

Radierung 1923. Dube Nr. 475a/I. Leicht satiniertes Papier. Blattgröße 36,4 x 29,6 cm. Rechts unten in Bleistift signiert: »2 Badende im Bach I Zustand 23«. – Besonders schöner Druck.

**Nr. 221   INTERIEUR MIT MENSCHEN**

Radierung 1923. Dube Nr. 451/I. Festes, satiniertes Papier. Blattgröße 40 x 30,8 cm. – Nachlaß des Künstlers. – Schöner, klarer Druck mit leichtem Plattenton.

**Nr. 223   SITZENDE NACKTE FRAU
MIT KATZE**

Radierung 1924. Dube Nr. 483/II. Festes, leicht satiniertes Papier. Blattgröße 34,2 x 26,2 cm. Rechts unten in Bleistift signiert. Im Unterrand vom Künstler in Bleistift bezeichnet: »Sitzende nackte Frau mit Katze 23, II. Zustand«. – Schöner Druck mit Plattenton.

Nr. 224   BERGLANDSCHAFT MIT LIEBESPAAR

Radierung 1934. Dube Nr. 635/I. Kupferdruckpapier.
Blattgröße 43,5 x 28,5 cm. – Bei Dube II. und nicht
I. Zustand abgebildet. – Nachlaß des Künstlers. –
Schöner, gleichmäßiger Druck in Braun.

Nr. 225   ZWEI HIRTEN

Radierung 1937. Dube Nr. 662b/III. Blattgröße 35,5 x
26 cm. Druck in Braun. – Vergleiche Gemälde Gordon
Nr. 1008 »Hirten am Abend 1937«. – Nachlaß des Künstlers. – Ungewöhnlich schöner, gleichmäßiger Druck.

Nr. 226   BUBE MIT KATZE

Radierung 1924. Dube Nr. 488/II. Weißes, satiniertes
Papier. Blattgröße 35,2 x 29,8 cm. Rechts unten in Bleistift signiert. Unten in der Mitte bezeichnet: »Bube mit
Katze II Zustand 24«.    Sehr schöner, brauner Druck
mit reichlich gewischtem Plattenton.

Nr. 227   NACKTE MÄDCHEN IM WALDE

Radierung 1923. Dube Nr. 468/I. Festes, satiniertes
Papier. Blattgröße 36,8 x 30,6 cm. Rechts unten in Blei-
stift signiert. In der Mitte unten betitelt und datiert:
»Nackte Mädchen im Walde I. Zustand 23«. – Schöner
Druck mit reich gewischtem Plattenton.

Nr. 228   EHEPAAR IN DER WIESE
(EHEPAAR SCHIEFLER)

Radierung 1923. Dube Nr. 454.
Chamois Bütten. Blattgröße 42,3 x
70,2 cm. Rechts unten in Bleistift signiert. Links unten in Bleistift. »Eigendruck«. Alle sonstigen
Bemerkungen in Bleistift von fremder Hand. Ehemals Museum Folkwang Essen mit rotem Stempel, mit
Bleistift durchgestrichen. Stempel
der Galerie Ferdinand Möller Berlin.
In Tinte vermerkt: »Erworben lt. Ver-
trag 1940. Entartet beschlagnahmt.
1937«. – Schöner, klarer, gleichmäßiger Druck.

Nr. 229   BADENDE FAMILIE I

Radierung 1925. Dube Nr. 517/I. Imitiertes
Japanpapier. Blattgröße 31,5 x 37,5 cm.
Unten links in Bleistift: »Eigendruck I Pro-
be bemalt«. – Das von Dube erwähnte ko-
lorierte Exemplar des I. Zustandes.

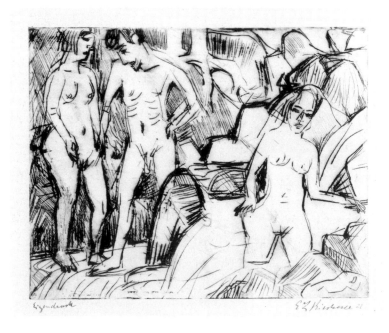

Nr. 230   BADENDE IM WALDBACH

Radierung 1923. Dube Nr. 471/II.
Kartonartiges Chamoispapier. Blattgröße 37 x 41,7 cm. Rechts unten
in Tinte signiert und datiert »22«.
Links unten in Tinte: »Eigendruck«.
– Besonders schöner, gratiger, gewischter Druck.

Nr. 231   HOLZBILDHAUERIN
(FRÄULEIN O.)

Radierung 1921. Dube Nr. 394a/I.
Handgeschöpftes graues Bütten
aus dem Jahre 1908/9. Blattgröße
44,5 x 37 cm. An den Rändern
ringsumlaufend starke geätzte Partien. Rückseitig zahlreiche Aktstu-
dien von Dodo in Rohrfeder. –
Nachlaß des Künstlers. – Ganz her-
vorragender Druck in tiefblauen
Farben und vom Künstler stark gewischt.

Nr. 232   ZWEI FRAUEN IM WALDE

Radierung 1924. Dube Nr. 505c.
Gelbliches, festes, satiniertes Papier. Blattgröße 32 x 39,1 cm. Links
unten in Bleistift betitelt und datiert:
»Zwei Mädchen im Walde 24«. –
Prachtvoller Druck in Blau, kon-
trastreich gewischt.

149

Nr. 233   TAUNUSALLEE

Schwarze Kreidezeichnung mit Kohle gewischt
1916. Gelbes Papier. Blattgröße 30 x 38,5 cm. –
Nachlaß des Künstlers.

Nr. 234   BILLARDSPIELER

Lithographie 1915. Dube Nr. 290/III. Gelbes Papier. Blattgröße 67 x 53 cm. Rückseitig Stempel
des Künstlers: Unverkäuflich E. L. Kirchner. –
Nachlaß des Künstlers. – Besonders schöner
Druck.

Nr. 235   WINTERLANDSCHAFT

Lithographie 1923. Dube Nr. 425. Blauer Druck.
Blattgröße  60,2 x 68 cm. Am Oberrand außer-
halb der Darstellung Tesa-Strich ca. 0,4 cm. –
Nachlaß des Künstlers.

Nr. 236   HANNAH TANZEND

Lithographie 1910. Dube Nr. 141.
Gelbes Papier. Blattgröße 29,3 x 41
cm. Rückseitig Stempel des Künstlers: Unverkäuflich E. L. Kirchner. –
Nachlaß des Künstlers.

Nr. 237   ZWEI FRAUEN IN
EINEM BOOT

Lithographie 1912. Dube Nr. 220/II.
Gelbes Papier. Blattgröße 55 x 62,5
cm. Am Unterrand 3 kleine Tesa-
Striche. – Nachlaß des Künstlers.

Nr. 238   BUBE

Lithographie 1921. Dube Nr. 414/I.
Gelbes Papier. Blattgröße 36,5 x
47,5 cm. – Nachlaß des Künstlers.

Nr. 239   MÄDCHEN MIT HUT

Lithographie 1908. Dube Nr. 61. Bütten. Blattgröße 40 x 49,1 cm. Rechts
unten in Bleistift signiert. Links unten
in Bleistift: »Handdruck«. – Besonders
schöner, satter Druck.

Nr. 240   BLÜHENDE KIRSCHBÄUME

Lithographie 1909. Dube Nr. 133.
Leicht satiniertes Papier. Blattgröße
42,4 x 51,1 cm. – Nachlaß des Künstlers.

Nr. 241   FEHMARNDORF

Lithographie 1908. Dube Nr. 49/I. Bütten. Blattgröße 29 x 46,5 cm. Rechts
unten in Bleistift von Erna Kirchner signiert. Links unten von E. L. Kirchner:
»Handdruck«. Rückseitig 4mal Stempel des Künstlers: Unverkäuflich E. L.
Kirchner.

Nr. 242    KOPF IM SPITZENKRAGEN

Lithographie 1907. Dube Nr. 4. Graublaues Papier. Blattgröße 46,8 x 36,5 cm. Rechts unten signiert in Bleistift von Erna Kirchner. Links unten vom Künstler in Bleistift bezeichnet: »Handdruck«. Rückseitig Stempel des Künstlers: Unverkäuflich E. L. Kirchner.

Nr. 243    DER SOHN DES SCHUSTERS

Lithographie 1907. Dube Nr. 7. Chamoispapier. Blattgröße 49,4 x 39,8 cm. – Nachlaß des Künstlers.

Nr. 244    SAKUNTALA IM TEMPELGARTEN

Lithographie 1907. Dube Nr. 14. Graublaues Papier. Blattgröße 46,5 x 37 cm. – Nachlaß des Künstlers. – Blatt Nr.1 zum Drama: »Sakuntala von Kalidasa«. – Schöner, kräftiger Druck.

Nr 245    RUTH IM MORPHIUMTRAUM

Lithographie 1907. Dube Nr. 12. Graublaues Papier. Blattgröße 46,5 x 37 cm. Rechts unten in Bleistift signiert von Erna Kirchner. Rückseitig 2mal Stempel des Künstlers: Unverkäuflich E. L. Kirchner.

Nr. 246   LIEGENDER WEIBLICHER
AKT, DIE HÄNDE AUF DEN LEIB
GELEGT

Lithographie 1909. Dube Nr. 82. Leicht
satiniertes Papier. Blattgröße 37,2 x
46,1 cm. Rechts unten in Bleistift signiert. Links unten in Bleistift: »Handdruck«. Auf der Rückseite Stempel
des Künstlers: Unverkäuflich E. L.
Kirchner.

Nr. 247   SIESTA

Lithographie 1911. Dube Nr. 175. Leicht
satiniertes Papier. Blattgröße 36,1 x
46,7 cm. Rechts unten in Bleistift signiert. – Besonders schöner, satter
Druck mit Terpentinätzung.

Nr. 248   MÄDCHEN, SICH ÜBER
EINEN TISCH BEUGEND

Lithographie 1907. Dube Nr. 38. Leicht
bräunliches Papier. Blattgröße 43,6 x
49,6 cm. Rechts unten in Bleistift von
Erna Kirchner signiert. Links unten in
Bleistift:  »Handdruck«.  Rückseitig
Stempel des Künstlers: Unverkäuflich
E. L. Kirchner. – Besonders schöner
Druck in der Zeichnung mit reichen
Tonstufungen.

154

Nr. 249   BADENDE MIT DÜNEN
UND LEUCHTTURM

Lithographie 1912. Dube Nr. 197/II.
Chamoispapier. Blattgröße 41 x 51,2
cm. Rechts unten in Bleistift signiert. – Besonders schöner, nuancenreicher Druck.

Nr. 250   KAUERNDER AKT

Lithographie 1907. Dube Nr. 31.
Hellbräunliches Kupferdruck-Papier. Blattgröße 43,9 x 50,6 cm. –
Nachlaß des Künstlers. – Schöner,
nuancenreicher Druck.

Nr. 251   BADESZENE IN
DER WANNE

Lithographic 1914. Dube Nr. 261.
Festes, satiniertes Papier. Blattgröße 39,8 x 50,2 cm. – Nachlaß
des Künstlers. – Besonders schön
gedrucktes Exemplar.

155

Nr. 252   FINGERSPIELENDE DODO

Lithographie 1909. Dube Nr. 104. Satiniertes Papier. Blattgröße 36,6 x 44,6 cm.
Rechts unten in Bleistift signiert. Links
unten in Bleistift »Handdruck«. Rückseitig
betitelt »Spielendes Mädchen, 30 M, Lithos«.

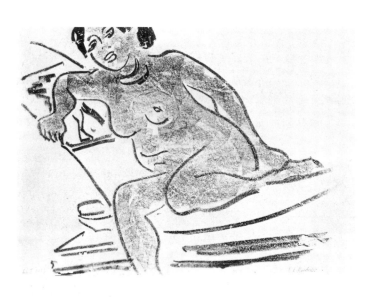

Nr. 253   NEGERIN IN DER
HÄNGEMATTE

Lithographie 1909. Dube Nr. 84. Satiniertes Papier. Blattgröße 32,5 x 43 cm.
Rechts unten in Bleistift von Erna Kirchner signiert.

Nr. 254   LIEGENDE AKTE AM MEER

Lithographie 1913. Dube Nr. 233/IV. Festes, satiniertes Papier. Blattgröße 44,8 x
55,3 cm. Rechts unten in Bleistift signiert. Links unten in Bleistift: »Handdruck«. – Schöner, kräftiger Druck.

Nr. 255   DIE TRÄUMENDE

Lithographie 1909. Dube Nr. 108. Satiniertes Papier. Blattgröße 48 x 43,7 cm. – Nachlaß des Künstlers.

Nr. 256   STRUMPFANZIEHENDES MÄDCHEN

Lithographie 1909. Dube Nr. 101/II. Satiniertes Papier. Blattgröße 47,8 x 40,7 cm. Rechts unten in Bleistift von Erna Kirchner signiert. Rückseitig Stempel des Künstlers: Unverkäuflich E. L. Kirchner.

Nr. 257   NACKTE MÄDCHEN IM ATELIER

Lithographie 1911. Dube Nr. 182. Festes, satiniertes Papier. Blattgröße 46,2 x 36,3 cm. Rechts unten in Bleistift signiert. Links unten in Bleistift: »Handdruck«. – Schönes Exemplar.

Nr. 258   ZWEI BADENDE AM OFEN

Lithographie 1914. Dube Nr. 260/1. Chamoispapier. Blattgröße 48,9 x 40,2 cm. – Nachlaß des Künstlers. – Besonders schöner Druck mit Terpentinätzung.

Nr. 259   NEGERIN AUF EINEM BETT

Lithographie 1911. Dube Nr. 176. Kupferdruck-Papier. Blattgröße 40,2 x
48,2 cm. Rechts unten in Bleistift signiert. Links unten Bleistift: »Handdruck«.   Schöner, nuancenreicher
Druck.

Nr. 260   SICH SPRITZENDE
MÄNNER IM SCHILF

Lithographie 1911. Dube Nr. 194. Kupferdruck-Papier. Blattgröße 33,6 x
44,8 cm. Links oben kopfstehend von
Erna Kirchner in Bleistift signiert.
Rückseitig Stempel des Künstlers: Unverkäuflich E. L. Kirchner.

Nr. 261   FEHMARNLANDSCHAFT
MIT PFERDEN

Lithographie 1912. Dube Nr. 225/II.
Chamoispapier. Blattgröße 42,4 x
51 cm. Rechts unten in Bleistift signiert. Links unten in Bleistift: »Handdruck«.

**Nr. 262  PARK GROSS-SEDLITZ**

Lithographie 1909. Dube Nr. 134. Chamoispapier. Blattgröße 36 x 43,6 cm. Rechts unten in Bleistift signiert. Links unten in Bleistift: »Handdruck«. Rückseitig Stempel: Unverkäuflich E. L. Kirchner.

**Nr. 263  FLÜELAPASS**

Radierung 1928. Dube Nr. 588/II. Chamoispapier. Blattgröße 33,7 x 48,4 cm. Links in der Darstellung Ätzfleck. – Nachlaß des Künstlers. – Besonders schöner Druck, mit reichlich gewischtem Plattenton.

**Nr. 264  DÜNEN UND MEER**

Lithographie 1913. Dube Nr. 236/III. Chamoispapier. Blattgröße 39,7 x 50,6 cm. Links unten in Blaustift signiert und datiert: »13«. Rechts unten: »Handdruck«.

Nr. 265   DREI BADENDE IN WELLEN
MIT MÖWE

Lithographie 1913. Dube Nr. 237/l. Chamoisfar-
biges, festes, satiniertes Papier. Blattgröße
51,5 x 37 cm. Mit reichlicher Terpentinätzung.
– Vergleiche Gordon Nr. 356: »Drei Badende
1913«. – Nachlaß des Künstlers. – Ganz besonders schöner Druck.

Nr. 267   ZWEI BADENDE AN EINEM TUB

Lithographie 1912. Dube Nr. 205. Festes Kupferdruckpapier. Blattgröße 44,6 x 36 cm. – Nachlaß
des Künstlers. – Schöner, ausgewogener Druck.

Nr. 266   ZWEI BADENDE VOR DEM SPIEGEL

Lithographie 1912. Dube Nr. 200. Chamoispa-
pier. Blattgröße 46,7 x 35,5 cm. Rechts unten von
Erna Kirchner in Bleistift signiert. Rückseitig
Stempel des Künstlers: Unverkäuflich E. L.
Kirchner. – Prachtvoller, in der Zeichnung nuan-
cenreicher Druck.

Nr. 268   KIRCHE IN GOPPELN

Lithographie 1907. Dube Nr. 45. Hellgraublaues
Papier. Blattgröße 46 x 37 cm. Rückseitig Stem-
pel des Künstlers: E. L. Kirchner. – Nachlaß des
Künstlers.

Nr. 269   PORTRÄT H. FRISCH MIT
SCHWESTER

Lithographie 1908.  Dube Nr. 59.  Kupferdruck-
Papier.  Blattgröße  53,5 x 43,2 cm.  Rückseitig
Stempel  des  Künstlers:  Unverkäuflich  E. L.
Kirchner.

Nr. 270   BILDNIS FRAU FEHR

Lithographie 1915. Dube Nr. 289/I. Festes, satiniertes Papier. Blattgröße 51,2 x 40,5 cm. Rechts
unten in Bleistift signiert. Links unten in Bleistift:
»Handdruck«. – Bei Dube ist der II. Zustand abgebildet.

Nr. 271   DIE NACHTWANDLERIN

Lithographie 1916. Dube Nr. 327. Chamoisfarbi-
ges, satiniertes Papier. Blattgröße 51 x 38 cm. –
Nachlaß des Künstlers. – Nuancenreicher Druck
mit Terpentinätzung.

Nr. 272   TOILETTE IM SCHLAFANZUG

Lithographie  1915.  Dube Nr. 265/II.  Chamoispapier.  Blattgröße 48,2 x 39,5 cm. – Nachlaß des
Künstlers. – Schöner, nuancenreicher Druck mit
reicher Terpentinätzung.

Nr. 273   ZWEI REITENDE ARTILLERISTEN

Lithographie 1916. Dube Nr. 308/IIA. Gelbes Pa-
pier. Blattgröße 45,9 x 36,6 cm. Rechts unten in
Bleistift signiert. – Rückseitig Stempel des
Künstlers: Unverkäuflich E. L. Kirchner. –
Schöner Druck.

Nr. 275   WALDWEG

Lithographie 1916. Dube Nr. 313. Gelbes Papier.
Blattgröße 47,8 x 36,3 cm. Rechts unten in Bleistift signiert. Rückseitig 2mal Stempel des
Künstlers: Unverkäuflich E. L. Kirchner. Das Blatt
wurde für die Zeitschrift: »Der Bildermann« ent-
worfen, Verlag Paul Cassirer, Berlin. – Schönes
Exemplar.

Nr. 274   REISENDER IM COUPÉ

Lithographie 1912. Dube Nr. 219/I. Festes, satiniertes Papier. Blattgröße 49,7 x 36,7 cm. Rechts
unten in Bleistift signiert. – Besonders schöner,
nuancenreicher Druck.

Nr. 276   PORTRÄT FRAU BLUTH

Lithographie 1916. Dube Nr. 330b/III. Gelbes Pa-
pier. Blattgröße 54,3 x 37,8 cm. Rechts unten in
Bleistift signiert. Links unten in Bleistift »Hand-
druck«. Unten in der Mitte vom Künstler betitelt:
»Kopf Frau Bluth«. – Blauer, dunkelgrüner
Druck.

Nr. 277   SÄGE SCHÄRFENDER SENN

Lithographie 1919. Dube Nr. 367. Festes, sati-
niertes Kreidepapier. Blattgröße 50 x 38 cm.
Rechts unten in Bleistift signiert. – Rückseitig
Stempel des Künstlers: Unverkäuflich E. L.
Kirchner. Handschriftlicher Vermerk in Bleistift:
»311«.


Nr. 279   NACKTE FRAU UND MÄDCHEN IN
KURZEM ROCK

Lithographie 1911. Dube Nr. 191. Satiniertes Papier. Blattgröße 51,8 x 38,8 cm. – Nachlaß des
Künstlers.

Nr. 278   GERDA UND ERNA

Lithographie 1912. Dube Nr. 209/II. Festes, satiniertes Papier. Blattgröße 49,2 x 36,6 cm. Rechts
unten in Bleistift von Erna Kirchner signiert.
Rückseitig Stempel des Künstlers: Unverkäuflich E. L. Kirchner. – Klarer, schöner, kräftiger
Druck.


Nr. 280   DREI KINDER IN DER TUR

Lithographie 1919. Dube Nr. 355/II. Leicht satiniertes Papier. Blattgröße 46 x 39,4 cm. Rechts
unten in Bleistift signiert. Links unten in Bleistift:
»Handdruck«. Rückseitig schöne Zeichnung,
»Sich Waschende«.

Nr. 281    ZWEI REITER AUF DEM HOF

Lithographie 1915. Dube Nr. 306/II. Satiniertes
Papier. Blattgröße 46,1 x 30,6 cm. Rechts unten
in Bleistift signiert und datiert: »15«. Links unten
in Bleistift: »Handdruck«. – Besonders schöner
Druck mit starker Terpentinätzung. – Nach
Schiefler existieren nur 2 Exemplare.


Nr. 283    STRASSE

Lithographie 1926. Dube Nr. 430/II. Gelbliches,
handgeschöpftes Bütten. Blattgröße 43,5 x 32,7
cm. Rechts unten in Tinte signiert und datiert
»25«. Links unten in Tinte: »Handdruck«.

Nr. 282    AUSFLUG
(UMGEBUNG VON KÖNIGSTEIN)

Lithographie 1916. Dube Nr. 314. Satiniertes Papier. Blattgröße 34,9 x 27,5 cm. Rechts unten in
Bleistift signiert. Rückseitig Stempel des Künstlers: Unverkäuflich E. L. Kirchner. – Das Blatt
wurde für die Zeitschrift: »Der Bildermann« ent-
worfen, Verlag Paul Cassirer, Berlin.


Nr. 284    TANZSZENE

Lithographie 1927. Dube Nr. 440/II. Kupferdruck-Papier. Blattgröße 44,6 x 35,7 cm. Rechts
unten in Bleistift signiert und datiert: »27«.

**Nr. 285  BAUERNMITTAG**

Lithographie 1920. Dube Nr. 393/II.
Satiniertes Papier. Blattgröße 36 x
44,8 cm. Fingerspuren vom Drucken.
– Nachlaß des Künstlers. – Schöner
Druck mit Terpentinätzung.

**Nr. 286  FRAUEN IM ZIMMER**

Lithographie 1920. Dube Nr. 398/II.
Chamoispapier. Blattgröße 42,6 x 55,3
cm. Rechts unten in Bleistift betitelt:
»Zimmer mit Frauen« und datiert »19«.

**Nr. 287  ZWEI PANTHER**

Lithographie 1916. Dube Nr. 309/I.
Kupferdruck-Papier. Blattgröße 40 x
50 cm. Rechts unten in Bleistift signiert.

Nr. 288    SITZENDE BAUERN

Lithographie 1922. Dube Nr. 417. Gelbes Papier. Blattgröße 36,5 x 44,5 cm. – Nachlaß des Künstlers.

Nr. 289    BERGWEIDE MIT KÜHEN UND SENNEN

Lithographie 1919. Dube Nr. 372/II. Gelbliches Papier. Blattgröße 57 x 63,8 cm. -- Nachlaß des Künstlers. – Nuancenreicher Druck mit Terpentinätzung.

Nr. 290    KUH UND KATZE

Lithographie 1923. Dube Nr. 426/II. Gelbes Papier. Blattgröße 60,3 x 74 cm. Rechts unten in Bleistift signiert. Links unten in Bleistift: »Handdruck«.

Nr. 291   BILDNIS VON MANN UND FRAU
(EHEPAAR SCHIEFLER)

Holzschnitt 1923. Dube Nr. 506/II. Gelbes Papier. Blattgröße 70 x 42,5 cm. Rechts unten in
Blaustift signiert. Links unten in Blaustift: »Eigendruck«. – Besonders ausdrucksstarker,
schöner Druck.

Nr. 292   MARIELE

Lithographie 1923. Dube Nr. 427/II. Gelbes Papier. Blattgröße 59 x 39 cm. Rechts unten in Bleistift signiert. Links unten in Bleistift: »Handdruck«. – Schöner Druck.

Nr. 293   TANZENDES BAUERNPAAR

Lithographie 1920. Dube Nr. 394/III. Gelbes Papier. Blattgröße 66,5 x 55 cm. Rechts unten in
Bleistift signiert. Links unten in Bleistift: »Handdruck«.

Nr. 294   FRAU UND MÄDCHEN

Lithographie 1922. Dube Nr. 423/II. Gelbes Papier. Blattgröße 68 x 54 cm. – Nachlaß des
Künstlers. – Schöner Druck.

Nr. 295   FREIHAFEN FRANKFURT A.M.

Lithographie 1916. Dube Nr. 316a/II. Gelbes Papier. Blattgröße
60 × 66 cm. Rechts unten in Bleistift signiert. Links unten in Bleistift: »Handdruck«. In der Mitte mit Bleistift versehen: »No. 10«. Auf
braunem Untersatzblatt vom Künstler montiert und links unten in
roter Tusche: »Frankfurt a/Main«. – Schöner, nuancenreicher
Druck mit Terpentinätzung.

Nr. 296   ALP MIT TIEREN

Lithographie 1919. Dube Nr. 374. Gelbes Papier. Blattgröße
56,7 × 65,8 cm. – Nachlaß des Künstlers. – Nuancenreicher Druck
mit Terpentinätzung.

© R. N. Ketterer, Campione d'Italia 1980
Fotos: Franco Calloni-Brunel & Co., Lugano
Photolithos: Steiner & Co. AG., Basel
Satz, Druck und Bindearbeiten:
Dr. Cantz'sche Druckerei, Stuttgart-Bad-Cannstatt
Printed in Germany 1980

# Galerie Wolfgang Ketterer München

Prinzregentenstraße 60, D-8000 München 80

Telefone: 089/47.20.83

089/47.65.45

Cable Adr.: Kettererkunst Muenchen

zeigt alle Werke dieses Kataloges

zum 100. Geburtstag von

# E. L. Kirchner

vom Mittwoch, 6. Februar bis Sonntag, 2. März 1980

täglich geöffnet von 10.00 – 18.00 Uhr

(auch an Sonntagen)

Während dieser Zeit ist

Roman Norbert Ketterer

persönlich anwesend

---

Ab Montag, 10. März 1980

finden Sie diese Kunstwerke wieder in der

GALERIE ROMAN NORBERT KETTERER

Via Marco 16

CH-6911 Campione d'Italia (bei Lugano)

Besuche in der Galerie in Campione d'Italia

nur auf Verabredung